# O sonâmbulo amador

José Luiz Passos

# O sonâmbulo amador

ALFAGUARA

Copyright © 2012 by José Luiz Passos

Todos os direitos desta edição reservados à
Editora Objetiva Ltda.
Rua Cosme Velho, 103
Rio de Janeiro — RJ — Cep: 22241-090
Tel.: (21) 2199-7824 — Fax: (21) 2199-7825
www.objetiva.com.br

Capa
Mateus Valadares

Imagens de capa
© Bruno Barbey/Magnum Photos
Latinstock/© Magomed Magomedagaev/Spaces Images/Corbis

Revisão
Ana Kronemberger
Fatima Fadel
Lilia Zanetti

Editoração eletrônica
Abreu's System Ltda.

CIP-BRASIL. CATALOGAÇÃO-NA-FONTE
SINDICATO NACIONAL DOS EDITORES DE LIVROS, RJ

P319s

    Passos, José Luiz
      O sonâmbulo amador / José Luiz Passos. – Rio de Janeiro: Objetiva, 2012.
      270p.                  ISBN 978-85-7962-163-5

      1. Romance brasileiro. I. Título.

12-5516.                       CDD: 869.93
                            CDU: 821.134.3(81)-3

*Para Beth, Ana Helena e Raquel*

*Acordo fora de mim
como há tempos não fazia.*

JOÃO CABRAL DE MELO NETO, "Auto do Frade"

# Primeiro caderno

*O que nos leva a tentar novamente?*
UMA TELEFONISTA

Quando a chuva passa, de vez em quando desligo o ar e fico olhando pela janela aberta. Perco mais de uma hora observando o movimento em frente ao prédio. Na rua lá embaixo os caminhões seguem até a pesagem e, vez por outra, vai uma colheitadeira amarela e comprida, com as esteiras deixando faixas de lama por trás da pá ou de discos suspensos por braços mecânicos. No ponto da curva onde o rio se alarga mais, onde antes ficavam duas alas de azeitonas-roxas, agora abriram um ferro-velho. Há tempos que não ando por ali. Sempre me impressionam os vagões emborcados, uma cabeça de composição mais antiga, já toda aberta, e os próprios tratores, antes bem coloridos, irem aos poucos estourando, cobertos por uma capa crespa de ferrugem marrom. De longe, quem vê esse amontoado pode até pensar que se trate de um corte no terreno, naquele trecho com barro mais escuro, ou de feno, metralha e até bagaço separado para virar farelo. Na realidade, são as máquinas encostadas.

    Como o verdão foi levantado de costas para o rio, dele não se vê a ponte nem o seixo da velha, que é um lugar agradável para se sentar quando quero almoçar fora. O prédio não é bonito como o da policlínica, com seus treze arcos na fachada em forma de um alpendre comprido. Também não tem o espaço dos galpões do cotonifício, com pé-direito de vinte metros, escadaria e passeio de ferro em redor das máquinas de carda, as bobinas de aço engastando milhares de agulhas. Mas o verdão é o lugar onde foram tomadas as decisões mais importantes da empresa.

Verdade que parece uma peça de dominó, equilibrada em pé, viúva, mais robusta na parte de baixo, com uma faixa lateral feita de tijolos vazados em forma de losango, no vão por onde passam as escadas e entra o pó. E lá do alto saem quatro biqueiras para dar vazão à água, que quando é muita cai em cascata, vindo das laterais do prédio. Pois na época delas, as chuvas por aqui têm um cheiro, escoam direto, batem no chão, cavam uma poça e largam um barulho de urina bruta, porque a terra é fofa e o verdão, alto demais. Como as biqueiras são poucas, o teto muito largo apanha essa porção e joga nas calhas, lançando no ar uma ducha bem concentrada. De longe, dali até quase no centro, ainda se vê no topo do edifício o antigo nome da fábrica. No caminho para casa, às vezes paro, me viro para trás e fico vendo o que é aquilo, o verdão se descascando e o revestimento da marquise já esburacado. É nestas ocasiões que penso no que Marco Moreno me dizia, nas críticas dele ao prédio que seu próprio avô mandou construir. Então me curvo para acender um cigarro ou desato o cadarço do sapato, só para atar um laço novo, com o pé apoiado numa mureta ou em qualquer outro lugar. Quando lembro do que a tecelagem já foi, do que hoje restou dela, sinto o peito mais fundo e, para isto, basta esse letreiro de metal em tipo grande, as letras cobertas de azinhavre e há muito queimadas de sol.

Não sei onde vocês trabalham, ou trabalharam, mas aqui a sirene toca às 13h45, chamando os funcionários de volta do almoço. Chama os que vão ao refeitório e os que saem para comer fora. E não há como evitar esse lembrete, pois do centro da cidade se ouve o toque, que também soa às 18h, no fim da jornada diurna.

Puá puá, puuááo, são sempre dois silvos curtos e um longo.

A verdade é que sou péssimo para imitações.

O que quero dizer é que no intervalo do almoço geralmente fico sozinho no quarto andar do verdão. Faz tempo que não saio para comer fora e, quando saio, gosto de ir ao bar do Neco, porque lá eles de vez em quando servem coelho.

Aos poucos os colegas vêm voltando e sempre um ou outro olha para mim com a cara cheia de graça, querendo dizer uma pilhéria, contando alguma curiosidade ocorrida durante a refeição. Pensam que trancado no escritório morro de tédio ou, se não apareço, é porque impliquei com alguém. Mas o fato é que não. Gosto de ficar arrumando as pastas, escrevendo uma carta, cuidando de um ofício que preciso mandar mais tarde ou no dia seguinte. Às vezes faço uma chamada particular ou atendo alguém que ligue fora de hora. Também leio um pedaço do jornal e escuto no rádio a minha estação preferida. Dessa forma, por conta do ajuste que fiz, não tirando o almoço posso sair mais cedo. Aproveito para voltar ainda com luz.

Quando vou a pé levo quarenta e cinco minutos para chegar do verdão até em casa. De bicicleta, com calma, não chega a vinte. No caminho não é difícil eu parar para fumar um cigarro, fazer compras ou ficar vendo as pessoas na praça discutindo política e futebol, jogando dominó, o que eu próprio não faço por não gostar. E assim os dias passam sem muita novidade.

Porém, esta semana, na tarde em que decidi ir à capital cuidar do caso do rapaz queimado, acabei indo responder a um funcionário que estava com outros dois em volta de um maço de cartas, no banco da praça.

Jurandir, você vai mesmo ou não vai mais? Já desistiu, ele disse.

Como estava a pé, não pude passar sem evitar o comentário. Não interessa, respondi, olhando para ele. Você é que não vai em meu lugar. Ou vai? E o tal ficou sem resposta.

Outro tipo, que dava as cartas, riu tão alto, tirando graça com o curioso, passando um naipe no pescoço dele, que resolvi me sentar. Não sou dado à jogatina, mas fui cumprimentar o trio. Fiquei sabendo que a anedota do almoço era que Minie tinha virado meio vidro de ketchup num guardanapo de papel, dobrado as pontas e engolido tudo sem mastigar. Com isso ganhou a grade de cerveja que apostaram contra a coragem dela. Não dei bola aos que quiseram ver naquilo mais do que havia, ou seja, uma simples falta do que fazer. Também não ia discutir com Minie, que, parece, andou insinuando que antes eu teria feito o mesmo por meia grade ou menos, que sempre fui mais barato que ela.

Quando soube que Minie se referiu a mim como um indivíduo dado a me envolver numa competição bronca como aquela, pensei no seguinte. Que apesar de termos passado os últimos anos juntos, no verdão, caminhando dali para casa, indo comer fora, o fato é que nos conhecemos bem pouco. A própria Minie, quando chegou, logo após a tecelagem ter sido vendida ao grupo atual, ela me disse que eu era um herói, por ainda querer ficar, pois com a vinda dos novos donos o trabalho ia mudar muito e ninguém sabia como ia ser. Lembro que na ocasião acabei lhe contando alguns casos do começo da empresa, das aventuras de meu amigo Marco Moreno. Do namoro dele com uma moça casada, amiga da família. Relatei o fato e logo me arrependi, pois a verdade é que na época eu e Minie não éramos tão próximos assim.

\* \* \*

De short e bustiê, com as pernas cruzadas, às vezes ela fica me olhando de modo esquisito, comigo na cadeira falando e falando, como no dia em que sem motivo nenhum ela despejou um copo de Coca no meu colo.

Estávamos na sala e eu contava de meu acidente com Marco, nós dois ainda jovens. Eu ia relatando a Minie mais ou menos a mesma história de antes.

O céu já tinha clareado, ou acho que tinha clareado. Eu e meu amigo seguíamos calados, fazendo o caminho da estrada até a ponte. Quando os pés de azeitona davam fruta, era no trecho mais para a beira d'água que armávamos o alçapão, onde o rio faz uma curva ao lado da pedra grande, que Marco chamava de seixo da velha. Muito depois, na época em que passei a levar marmita para o verdão, comi algumas vezes em cima dessa pedra, vendo o rio passar lento, perto das agulhas da linha desativada, porque agora o transporte é todo feito de caminhão. Com as chuvas, de uma margem à outra antes eram mais de vinte metros, agora não chega a doze. Naquele trecho, a beira era escarpada e cheia de caniço--verde, com muita baronesa. E a ponte, mandada construir antes de o cotonifício ter se instalado por aqui, já tinha sido levantada com espaço para duas pistas e guardinha de madeira. Hoje os paralelepípedos vão por baixo do asfalto e a grade de proteção é toda em metal. Na época, nossa vontade era montar uma rampa e saltar com o carrinho de um lado a outro do rio, o que obviamente nunca fizemos.

Passeando por ali naquele dia, ficamos olhando o rio amarelado e grosso, com a correnteza arrastando tufos de capim e às vezes uma tábua, um saco de papel ou um galho de mato. Um pouco enfadado com aquilo, meu amigo se levantou e foi até a beira. A rua sem calçamento estava cheia de poças, com o terreno encharcado, por conta das chuvas. A lama servia de espelho para as nuvens cruzarem naquela revolução lenta, que é mais fácil de acompanhar justamente olhando dentro das poças.

Então Marco jogou uma pedra nos anuns do outro lado do rio. Vamos descer no carrinho, Jurandir? Hoje você quem manobra, ele disse, e foi subindo em direção à calçada da prefeitura, comigo atrás.

Na hora me espantei, porque sempre disputávamos o cargo de piloto. Pensando bem, creio que Marco abriu mão por saber que eu andava mal, e talvez com isso quisesse me animar um pouco mais.

Da ponte até a prefeitura são três ou quatro ruas para cima. No caminho devemos ter dado com gente voltando da feira de sábado, ainda hoje a maior, mas a verdade é que não lembro de ter visto ninguém. Ia distraído, puxando o carrinho pelo barbante que laçávamos no eixo da frente, para fazer o reboque sem ter de carregar o peso nos braços. Chegando à calçada nova, me virei para a descida e apontei a prancha na direção do Imaculada. O muro era baixo e àquela hora as freiras passavam uma vassoura no pátio. Nos fins de semana, com o colégio fechado, a rua acalmava mais. Marco, me vendo ali parado, de pé, acenou com a mão para que eu tomasse o assento, o que logo fiz.

Ainda hoje, quando Minie me ouve contando isto, ou coisas dessa época, posando interessada, segurando o copo e tomando seus golinhos de Coca, ela me olha de um jeito mais vago. Vou acrescentando detalhes que antes não tinham feito parte da história. Então refiro esses casos e Minie me paga com um ar de pouca fé, querendo dizer que eu vá adiante.

A verdade é que só era preciso um toque, eu disse a ela, e talvez nem isso para se descer dali numa velocidade difícil de controlar o carrinho de rolimãs. Acontece que daquela vez meu amigo deu um impulso maior. Vi que não dava para fazer a curva sem evitar a derrapagem e então avisei já quase gritando. Marco, deixa, está bom rapaz, solta. Mas os rolamentos de aço, riscando o cimento e as pedras do chão, faziam um barulho enorme, era difícil que se pudesse ouvir qualquer coisa. Daí, não sei se ele realmente escutou, pois a empurrada seguiu por mais um tempo. Gritei de novo e desta vez ele deve ter notado, porque eu já puxava as manoplas para a esquerda e para a direita, fazendo o carrinho tomar uma rota sinuosa. Na hora, com medo do embalo, desisti de ir até o fim da calçada e percorrer o trajeto de sempre. Fiz uma curva fechada, à direita, saindo para a rua, e a prancha levantou de lado. Pensei que fosse virar, mas não. Pus um pé na pista tentando parar a corrida e, com a perna esticada, tenso da velocidade, sem pensar muito naquilo, mantive o corpo rijo demais, as mãos agarradas com força nas manetas, a sola da sandália dois palmos adiante das rodas. Quando atravessei a rua principal, fazendo o salto do passeio calçado para a pista de barro, subiu o pó e achei que estava com sorte. A areia amortecia a corrida e, antes de chegar do outro lado, acabava parando. Mas como o embalo era grande, cruzei a rua na transversal, ainda a toda, e vi que ia bater de frente no meio-fio. Devo ter fechado os olhos. Lembro que fiz um giro com o corpo para fora do carrinho e ele emborcou. Deslizei o restante no chão, fazendo eu próprio aquele pedaço que faltava antes de dar na calçada. Então, com a perna esticada, aconteceu de meu pé topar na quina do calçamento novo, feito de paralelepípedos. O impacto foi grande, mas poderia ter sido ainda pior. Bati de lado e senti um gosto de terra na boca. Abri os olhos e vi minhas sandálias no chão, ao lado do carrinho, que tinha passado voando e foi se espatifar na parede da casa em frente. Digo que isto poderia ter sido ainda pior porque, lá atrás, meu amigo ficou pasmo por um tempo. Mudo de susto. Acho que vendo e pensando no que via. Só quando me mexi e apalpei a perna, ele gritou que isso sim é que era manhã. Mas, chegando perto, percebeu o que tinha me acontecido e mudou o jeito de falar. Disse que eu ficasse tranquilo, que isso não era nada. Pegou na minha perna, ou penso que pegou, e eu próprio falei que sabia que isso não era nada. Então meu amigo se levantou e fez uma concha com as mãos em volta da boca. Começou a gritar para o alto, na direção dos passantes, dizendo que pelo amor de Deus alguém viesse logo.

Quando tiro minhas férias, gosto de passear por outras cidades do interior. Sempre que me aparece na pista ou vejo parado à beira da estrada um daqueles belos Simca Chambord azul-bebê, com seu ronco de motor vê-oito e rabinho de peixe, o estofado revestido de curvim branco, a direção em madrepérola, então a imagem de meu amigo me volta à cabeça. Olho bem para o carro, para ter certeza de que se trata do mesmo modelo e, quando dou com um motorista mais alvo, fazendo pose com uma mão no volante e a outra para fora, daí não tenho como evitar e penso, só pode ser ele. Desta vez é mesmo Marco Moreno Prado, que não se aguentou e está de volta. Mas chegando perto, ou saltando da bicicleta, de novo vejo que não era.

    A verdade é que esta sensação que de vez em quando me toma, de comentar as lembranças de meu amigo, relatando a Minie casos da nossa juventude, é um efeito curioso e revela bem o tipo de conversa que prevalece nos horários de folga, quando alguém, animado pela bebida, acaba falando o que não deve. Voltei a pensar nisto enquanto tomava notas para ir ver os advogados no Recife.

    Fiquei a tarde inteira juntando os documentos sobre o caso do rapaz queimado, que já se arrastou mais do que devia e agora vai ser resolvido na justiça. Orientada por alguém, dias antes a mãe desse menino tinha me telefonado chorando. Procurei acalmar a mulher, mas ela insistia em que eu lhe prometesse um parecer favorável, maneirando na imprudência do filho, que, por não saber operar o compressor reformado, queimou as mãos e o rosto no vapor. Ainda esta semana me peguei pensando no mérito da questão. E também no zelo dessa mãe pelo futuro do rapaz.

 Lembro de ter passado por uma situação semelhante, quando meu filho nasceu doente e pedi que Marco fosse o padrinho. Fiquei revendo esse momento de antes e a razão que meu amigo tinha me dado, que para o bem dos dois era melhor não. Então uma impressão desagradável me voltou com mais viveza, nós dois caminhando pelas estradas em volta do verdão, evitando as poças, chutando qualquer coisa na pista, enquanto conversávamos sobre como nossas vidas iam mudar. Ou talvez esteja confundindo a ocasião específica em que discutimos o batizado, pois na hora mais esquisita da conversa, lembro que estávamos numa mesa de bar ou de restaurante e, quando Marco afinal me perguntou para que misturar amizade com família, a imagem que me vem ainda é a do tampo de uma mesa forrada com uma toalha colorida e, ali em cima, um maço de guardanapos metido dentro de um copo de vidro, talvez um copo de geleia, que eu rolava e rolava nas mãos esperando pela resposta do meu amigo. Essa resposta eu mais ou menos já imaginava qual seria. Que era melhor separarmos as coisas.

Mal acabei de preparar a papelada do caso do rapaz queimado, Minie se aproximou do meu birô e me olhou um tempo. Depois começou com aquela insistência dela.

 Jurandir, eu não quis ser indelicada com você. Falei aquilo só por falar, ela disse.

 Você falou. Como foi? Que eu tinha perdido a coragem.

Falei que antes você era mais dado. Que saía com a gente. Só isso.

Que nada, Minie. O que é que há? Pensa que sou feito suas colegas, para ficar rindo de besteira? Você é muito engraçada.

Como assim, ela perguntou. Hem, Jurandir?

Você às vezes não liga para nada. É muito fácil, eu disse, e então calamos nisto.

Com pouco mais, Minie voltou ao assunto. Minha oferta ainda está de pé, ela falou, leve o carro. Deixe de ser teimoso, Jurandir, vá.

Você não me escuta mesmo, não é, garota? Às vezes se faz de mouca.

Leve. Estou dizendo. Pode levar, e falando isso, ela chegou mais perto. Apoiou as mãos no tampo da mesa. Baixou quase na altura do meu fichário e repetiu aquilo batendo com a mão na bolsa, fazendo o chaveirinho chacoalhar.

Já falei, Minie. Prefiro o ônibus. Sinceramente, prefiro assim, eu disse. Quis encerrar essa conversa. Como tínhamos levantado a voz, algumas pessoas se viraram para ver o que era. Daí, fiz um gesto para que ela percebesse o movimento na sala. Ajeitei a pilha de pastas e empurrei de lado a máquina de calcular e o telefone. Fiquei olhando para Minie, ali, plantada na minha frente.

Aquilo foi uma brincadeira, Jurandir. Por favor.

Que brincadeira? Eu é que sei o que me disseram. O que eu mesmo ouvi.

Ela continuou calada. Depois se virou e fez que ia sair.

Já vou, ouviu?

Vá. Pode ir, eu disse.

E só então Minie saiu do escritório.

\* \* \*

Quando abri um dos classificadores mais grossos, para conferir os laudos que precisava levar para o Recife, dei de cara com a foto do rapaz queimado, ela solta entre as primeiras folhas do processo e não dentro do envelope que eu tinha separado para os anexos, grampeados no fim. Passei a mão naquela imagem deprimente, que fazia tempo vinha circulando pelo verdão.

Tinham afastado as ataduras da cabeça do rapaz, para que o fotógrafo pudesse fazer o registro do torso para cima. O menino olhava direto para a lente, parecendo tranquilo, sem se importar que seu rosto, pelado e brilhante por conta do vapor, não voltasse a ser como era antes. Um pouco chateado de rever a cara rosada do garoto, virei a foto e reli no verso o recado de Nilo Rangel, um dos advogados da tecelagem. Diga a eles que pelo menos o menino ainda está vivo. Era o que estava escrito. Que eu insistisse no fato de o socorro da policlínica ter salvado o funcionário do pior. Devia lembrar isto ao defensor trabalhista. Imaginei que diferença faria. Guardei o que não precisava levar e pus os documentos nas pastas.

Como estava sem a bicicleta, achei melhor sair mais cedo e passar no centro. Fiquei um tempo pensando no que precisava fazer e aonde era melhor ir àquela hora, se seguia ou não para casa. Só então percebi que Minie estava me olhando do outro lado da sala, tinha voltado. Queria saber se eu estava pronto ou quando era que queria ir. Lembrei que de manhã tínhamos acertado de descer juntos. Apanhei as pastas e me despedi do pessoal do andar. Fiz um aceno com a mão, mas poucos notaram. Minie me chamou novamente e fez sinal para que eu fosse logo. Juntei o resto dos papéis, meti tudo dentro de uma sacola e saímos para o corredor, caminhando em direção às escadas.

Começamos a descer um pouco mais devagar, que é o ritmo em que posso seguir. Em certo momento, fiquei pensando se Minie havia comentado minha via-

gem com mais alguém. Embora não tivesse tocado no assunto com os outros, ela se referiu ao caso misturando gente na história.
 Veja bem, Jurandir. Todo mundo gosta de você, ela disse. Inclusive os mais moços gostam muito.
 Também, pudera. Gosto deles, falei. A verdade é que me dou com todo mundo.
 Mas você precisa ter paciência, ela disse.
 Tive vontade de perguntar o que era que isso queria dizer, porém fiquei calado.
 Com pouco, Minie recomeçou. Você vai sozinho?
 Nessa viagem, vou.
 Ela ficou me olhando e retomou no mesmo ponto. Pensei que ela fosse também.
 Ela, quem?
 Ora, Jurandir. A sua mulher.
 Vai nada. Eu indo, ela não pode ir, por conta da casa. E até prefiro assim, porque tem coisa minha que quero ver por lá. Aliás, nem sei quando volto. Ninguém sabe, e nem quero que saibam, eu disse. Ouviu, garota?

Revendo agora essa conversa, a imagem que faço é a do cabelo de Minie. Seu penteado para trás, num jeito de garoto, com ela vestindo uma blusa alva e a saia muito estampada, na voga dos hippies. Minie se veste de maneira moderna, mas essa moda fica bem nela.
 No verdão, quando se desce à tardinha, a luz entra pelo rasgo dos combogós e faz um xadrez na parede das escadarias. Se a fuligem entra por ali, vindo dos caminhões passando por perto ou das chaminés em redor, então fica uma bruma engraçada, com listras amarelas cortando o vão, o que na verdade é apenas o facho do sol fazendo a poeira parecer uma tromba de veludo claro, ou várias trombas. O efeito é bonito e fiquei contente, pois

descemos na hora certa. De um andar a outro, quando passávamos por onde entrava a luz, uma lava daquelas às vezes vinha e batia no rosto de Minie, no pano da blusa dela, e lhe clareava os cabelos, fazendo esses cachos curtos parecerem mais castanhos do que são. Talvez pela sensação tristonha que vem com o lusco-fusco, acabei ficando ansioso. Foi neste ponto, quase no térreo do verdão, que Minie começou a me perguntar se eu ia mesmo, e como, e com quem. Eu continuava calado, descendo devagar, reclamando da perna e do pó, e com isto olhava para o rosto e para os pés dela, apontando o chão para que Minie tivesse mais cuidado.

    Jurandir, escutou o que eu falei? Eu e as meninas fizemos uma coisa para você, ela disse, depois tirou da bolsa um envelope branco e retangular, selado com um decalque colorido em forma de estrela.

    Na hora, não tive o que fazer com aquilo. É dinheiro? Espero que seja, eu disse.

    Ela riu e me passou o envelope. Não vá me fazer besteira.

    E por acaso me meto a herói? Então pronto, eu disse.

    Na despedida demos dois beijos e lhe apertei a mão de um jeito mais formal. Procurei não pensar muito naquilo. Saí do verdão trazendo os documentos do acidente com o compressor e as fotos do rapaz queimado, que eram uma parte importante do corpo de delito. Trouxe também uma caderneta larga, de capa dura, e três canetas, duas azuis e uma vermelha, mais um lápis e uma lapiseira com borracha na ponta. Deixei o verdão com o dia ainda claro e segui dali direto para o centro.

É de se admirar que o armazém Ferrabrás continue na mesma esquina há mais de vinte anos, na esquina como de quem sai da praça rumo à rodovia. Comprei a eles metade do material de construção da minha casa, uma que fiz no terreno de meu sogro, seu Constantino, no lote que o velho tinha no bairro do mercado.

Bem na frente do Ferrabrás está o bar do Neco, o único que realmente tem alguma condição. É um estabelecimento de porta com duas janelas, que abriram para fora com um toldo azul, e as paredes decoraram com cartazes de refrigerante e cerveja. Cheguei com calor e me sentei de frente para a rua. Pedi uma Coca.

Um garçom que eu não conhecia veio e me trouxe o refrigerante com o copo emborcado por cima do gargalo. Passei um guardanapo na borda e no fundo do copo, mas disse para não abrir a garrafa. Fiquei sentado, olhando o movimento dentro e fora do Ferrabrás. Já estava quase escuro, com aquela luz azulada e difícil de enxergar, então pus a mão dentro da sacola com as pastas e puxei o envelope que Minie tinha me dado. Abri e ali tinha um papel de cartolina dobrado ao meio com a figura de um menino segurando um balão. Estava claro, pelo traço e pelo colorido, que ela tinha feito aquilo sozinha. Pintou as partes mais fortes com lápis de cor e para as mais claras usou uma tinta de aquarela. Fiquei olhando. O balão tinha um aspecto oval, deitado, com bastante espaço para a mensagem copiada ali dentro.

Ao nosso querido protetor desejamos boa viagem. Que esse caso se resolva e o senhor volte logo, repeti isto em voz baixa. Era o que estava escrito. Tudo em caixa-alta, menos nas assinaturas delas, de Minie, Sandra, Lurdes, Silmara e Tita, que eram em caneta preta e letra cursiva, letra de mulher.

Mais uma vez a atenção dessas moças do quarto andar me impressionou. Primeiro imaginei que o menino segurando a ponta do balão tivesse na outra mão um livro escolar, comprido e encapado. Depois vi que não. Era uma pasta suspensa, das de arquivo, que fiz tanta questão de uniformizar no uso do setor. E a camisa social, com dois bolsos de botão, que gosto de trajar, também ia indicada ali no peito do garoto, as calças pintadas de cáqui e ele agarrado à linha daquela bolota enorme. Tudo com muita graça. Não era nenhuma obra-prima, mas estava bem-feito. Então decidi não tomar a Coca no bar do Neco. Paguei o refrigerante com casco, apanhei a sacola e saí com a garrafa. Atravessei a rua até a entrada do Ferrabrás, que já estava com a porta baixa pela metade, prestes a fechar.

Tomei a entrada lateral, que dá para os apartamentos em cima da loja. Subi as escadas revendo as paredes manchadas na altura do corrimão e, lá no teto, o fio trançado com uma lâmpada acesa na ponta. Os degraus eram curtos e eu podia ir mais depressa que no verdão. Mesmo assim preferi seguir no meu ritmo, com a garrafa de Coca suando numa mão e a sacola com as pastas pendurada na outra.

Minie já devia ter chegado em casa. Comecei a pensar se eu próprio deveria estar ali. Tenho certeza de que vocês sabem o que vou dizer agora, apesar de muitos negarem esta noção. E também negarem que um dia já fizeram coisa parecida.

Chegando ao topo da escadaria notei que estava transpirando. Parei para tomar fôlego e me escorei no corrimão. Passei o dedo no interruptor, apagando a lâmpada do teto. Fiquei olhando o restinho da claridade vindo da rua e também por baixo das portas do primeiro andar. Voltei a pensar em Minie, na lembrança que ela tinha me preparado, no desenho do menino com a perna rija, o balão colorido e, no bojo dele, aquela mensagem tão delicada. O fato é que, com a cabeça nisto, ri sem graça, pois apesar do jeito do garoto não ser o mesmo que o meu, um pouco daquela sua agonia pode-se dizer que era.

\* \* \*

Nos primeiros meses de meu cargo novo, quando passei da gerência de campo para o departamento de pessoal, e com isto eu e Marco Moreno nos afastamos um pouco mais, eu próprio fazia graça com a história da perna quebrada. Na verdade, quem me chamou a atenção para isso foi minha esposa, Heloísa.

    Nunca dei ponto ao fato de ter chegado a chefe de segurança no trabalho anos depois de arrebentar o joelho numa brincadeira com o neto do idealizador daquela grande fusão de empresas, alguém que ligou o setor têxtil de norte a sul do país, trazendo gente e maquinaria de fora. Por conta do acidente, muitos acham que cheguei aonde cheguei por mera reparação, ou que a escolha de meu nome para chefiar a área se deve ao fato de eu aparecer como um exemplo da necessidade de maior segurança no ambiente industrial. Poucos sabem que a questão vem de muito antes, de pequeno, de quando embolei do carrinho descendo feito um louco pela calçada nova da prefeitura.

    Lembro das semanas logo após o meu acidente, quando fui pela primeira vez ao Recife, como um período de grande mudança na minha vida. A imagem que tenho dessa hora é a das pessoas à minha volta me perguntando quem era o meu pai e a minha mãe quem era, se eu morava ali perto, se eu podia ou não me levantar sozinho. Enquanto isso, outros me encaravam espantados, vendo o carrinho espatifado na calçada e eu deitado no chão, com as mãos agarradas na perna.

    Como sentia muita dor, olhei para o meu amigo e ele tomou a frente. É para o casarão da praça 15 de Novembro. Vamos lá, ele disse. E só então as pessoas pararam de discutir o caso.

    Quando me tiraram da calçada, não conseguia andar. Dois homens, que atenderam ao chamado de Marco, trouxeram um banco de madeira de mais ou menos um metro e meio, para que eu me deitasse em cima. O banco foi usado como uma espécie de maca, e funcionou bem. Porém, ainda hoje me pego pensando no porquê daquilo. Se a emergência era médica, e cumpria que eu recebesse atendimento o quanto antes, que sentido tinha Marco dizer que me levassem para a casa dele? Nunca lhe fiz esta pergunta por receio de meu amigo pensar que o tempo perdido na movimentação para lá e para cá, do palacete ao ambulatório, pudesse ter feito alguma diferença no tratamento da minha perna. Na realidade, não creio que fizesse a menor diferença.

O fato é que chegamos relativamente rápido. O pai de Marco não estava, e não recordo quem tomou cargo da situação. Foi então que entrei na casa de meu amigo pela primeira vez. Lembro que me conduziram até um banheiro branco, com pia de louça, onde alguém me lavou a perna para tirar a areia do corte. Depois amarrou uma toalha grossa em volta do meu joelho. De lá fomos para o ambulatório, uma casinha que posteriormente foi ampliada e hoje é a policlínica, um verdadeiro emblema da cidade, com sua fachada branca toda feita de arcos e colunas.

Vinha eu pensando nisso, quando de repente me dei conta de que estava sozinho, relendo o cartão de Minie no corredor do primeiro andar do Ferrabrás, com uma Coca na mão e, na outra, o pacote com os documentos do caso do rapaz queimado. Ainda precisando resolver se ia ou não de ônibus, se viajava no dia seguinte ou deixava para ir ao Recife mais adiante. Tinha saído do verdão cedo, pensando que deveria aproveitar para ir à rodoviária comprar a passagem. Depois que Minie me ofereceu a volks dela, parei no bar do Neco e acabei naquele corredor apagado. Se alguém entrasse de repente, ou abrisse uma porta, podia pensar que eu estava mal-intencionado, escondido na sombra à espera de um inquilino, ou pior, querendo forçar entrada nos apartamentos vazios. Decidi evitar o embaraço. O corredor e as escadas estavam no escuro. Passei a mão no interruptor e religuei a corrente, o bulbo da lâmpada zumbiu e clareou. Olhei em volta, mas não vi ninguém. Bati uma vez na porta do 11-A e apurei o ouvido, só consegui escutar um televisor ligado. Como não vieram atender, quase bati novamente. Mas foi bom que não tivesse feito, pois com pouco mais ouvi umas passadas. O trinco girou e Minie apareceu por trás da porta.

Quando entro em algum canto e sinto um cheiro forte, esta fica sendo a minha impressão. E muito embora isso seja raro, às vezes acontece de eu sentir, sem motivo algum, o odor daquele ambiente mesmo estando em outro lugar, o que sempre me vem de supetão. Foi o que se passou ali. Quando Minie abriu a porta e veio aquele perfume adocicado, lembrei das primeiras vezes em que estivemos juntos. O fato é que, pensando naquilo, sorri e não disse mais nada. Fiquei parado.

Oba, há quanto tempo. Por aqui logo esta noite, que honra, ela falou.

Gostei do tom. Achei que a brincadeira era bom sinal. Ainda estava com aquela conversa na cabeça, de quando nos despedimos na frente do verdão. Fiz um cumprimento qualquer e Minie continuou sorrindo. Lembrei do cartão e quis lhe dizer qualquer coisa a respeito.

Obrigado, viu. Você não tem jeito, garota.

Passe, passe, Minie disse, e me chamou novamente. Então entrei.

Hoje não posso conversar muito. Você sabe, falei.

Sente aí, vá, Jurandir. Por favor.

Fui sentar no sofá. Pus a sacola no assento ao lado e a garrafa de Coca na mesinha de centro. Minie fez um gesto para que eu ficasse à vontade, depois pediu que eu esperasse um pouco e, sem me ouvir a resposta, entrou para a cozinha.

Quando estive nesta sala da primeira vez, há quatro ou cinco anos, notei imediatamente as prateleiras do armário com bibelôs de louça e bonequinhas pintadas valsando na frente de um castelo com cata-vento dourado. O apartamento é do tipo antigo. As janelas, com esquadrias de madeira, ficam em cima do Ferrabrás, por trás do luminoso da loja. Dali se vê um pedaço da praça. A dois palmos da borda de baixo o vidro é canelado. Daí que, de fora, só se distingue o vulto e não a figura exata das pessoas que vão dentro. Mesmo assim, quando as cortinas estão recolhidas, procuro não chegar perto das bandas transparentes. Com a luz acesa, quem passa na rua pode querer deduzir qualquer coisa.

Minie voltou com uma toalha na mão, torcendo e jogando essa trouxinha por cima do ombro, olhando para mim.

Você está ocupada. Está ou não? Posso voltar outra hora, eu disse. Realmente quis ir embora, quase me levantei, mas ela fez que não.

Afinal, Jurandir. Você viaja ou não viaja?

Viajo, mas a gente se fala depois. Não tem pressa. Quando eu voltar. Ou seja, e fiz um gesto.

Só então notei que ela já tinha trocado de roupa depois da nossa despedida mais cedo. Agora vestia um shortinho com camiseta listrada. Fiquei olhando. Balancei a cabeça, querendo dizer que naquela hora tanto fazia eu estar ali ou não. Que realmente não importava.

A verdade é que sinto por essa moça uma gratidão imensa, e não entendo bem de onde vem isto. Somos praticamente o oposto um do outro. Às vezes os colegas se referem a ela daquele modo grosseiro. Jurandir, que boca de fada essa menina, hem, eles dizem. E é o que basta para me fazer perder o dia. Alguns, percebendo como fico, acabam me olhando de um jeito malicioso, insinuando o pior. Minie não liga, e isso leva as pessoas a comentarem ainda mais. Se no começo pensava que essa atitude podia ser invenção da parte dela, hoje vejo que não, o que realmente só me faz admirar o fato de ela não se importar com nada, ou com quase nada. Dali mesmo, com Minie sentada na poltrona, bem no lugar onde passamos tanto tempo conversando sobre o estado em que vão as coisas no verdão, ela me veio com outro balanço daqueles que tanto gosta de fazer. Disse que eu era um frouxo por não admitir o que realmente queria, o que me importava de verdade.

Você espera que as coisas aconteçam do nada, não é, Jurandir?

De novo isso, moça? Sorri e tentei mudar de assunto, mas acabei escutando tudo outra vez. No meio da conversa, pensei em mostrar o cartão de que eu tanto tinha gostado, porém passamos um tempo falando bobagem. Quando finalmente não pude evitar, entrei no assunto que vinha me incomodando.

Vou ao Recife, mas não vou salvar ninguém. Não sou Madre Teresa.

Minie me olhou de modo engraçado.

Quero mais é que tudo vá para o inferno. Veja só, falei. Remexi na sacola das pastas, tirei a foto do rapaz queimado e mostrei a ela.

Para com isso, ela disse. Não quero. Já vi.

Eu sei. Quem merecia essa desgraça era outra pessoa.

Que mania, Jurandir.

Eu sei. O pior é que é verdade, eu disse, mas não quis insistir. Guardei a foto, me levantei do sofá e fui até a janela.

Já não tinha quase movimento na rua, apenas um pouco de gente em volta da lagoinha da praça, com os casais sentados nos bancos. Um ou outro se beijando à vista de todos. Puxei as cortinas e me virei para dentro. Ficamos parados um tempo. Lembrei de como gostava de ver Minie sentada naquela salinha, de short, com as pernas cruzadas esperando que eu lhe contasse alguma coisa. Foi só nesse escuro quase completo que senti o cheiro da fervura vindo da cozinha. Sorri e acho que ela entendeu de que é que eu estava achando graça. Ou não sei se realmente entendeu. O fato é que eu não sabia se deveria estar ali, enquanto ela, mais rápida, já tinha ligado o fogo para preparar aquela pasta de parafina com manteiga de cacau.

Saí da sala e fui andando em direção ao quarto, sem dizer nada. Minie veio atrás e passou por mim. Entrou e sentou na cama com as pernas estiradas, me olhando dos pés à cabeça.

Jurandir, ela disse. Você não me parece nada bem.

Pois quero lhe dizer, garota, que estou ótimo.

Ela continuou calada. Depois se levantou, sacudindo a cabeça, e saiu do quarto.

Fiquei um tempo sozinho. Estirei em cima da colcha a manta de lona verde, que de tempos em tempos tinha de ser escaldada no panelão de alumínio. Tirei as calças e me deitei por cima da coberta, dobrando a perna incomodada. Sempre me impressiona como a simples lembrança dessa aplicação tem o efeito de me deixar sossegado.

Olhei em volta e realmente me senti bem. Vi de novo cada canto daquele quarto forrado com papel florido. Um papel com aspecto de canteiro brotando cheio de flores do campo. Margaridas, coroas-de-rei, dentes-de-leão e uma papoula tigrada, que na verdade não existe, é invenção de quem desenhou a estampa de fábrica. Muito embora esse não seja o tipo de decoração que adoto em casa, ajudei Minie com a despesa e penso que ela escolheu bem. Então fiquei como às vezes fico no meu próprio quarto, estirado na cama depois do banho, antes de me vestir, pensando nas coisas boas que me disseram que sou e também nas que fiz. Uma sensação estranha veio de repente e meu coração disparou. Sinto que ainda há muito no que me aprimorar. Imagino que quando alcançar esse entendimento das coisas, do que realmente importa fazer, a diferença na opinião das pessoas não vai importar tanto. É nisto que Minie, do jeito dela, vive insistindo.

    Não sei quanto tempo fiquei desse jeito, deitado, pensando no que ainda precisava fazer. Lembrei de ligar para casa e avisar Heloísa que eu só chegaria mais tarde. Mas Minie de repente voltou com a panela fumegando e sentou na beira da cama. Veio mexendo a colher, despejando aquela porção de volta, tirando um fio ligado e amarelo, que espalhava um cheiro de cera doce pelo quarto. Olhei para ela através das mãos, com cada uma em forma de um copinho, as duas fazendo como se fosse um binóculo. Não sei exatamente por que fiz isto, pois Minie não me deu atenção. Continuou olhando para cima, para onde a luz clareava o papel cobrindo o teto inteiro com as florezinhas do campo, e ela calada na cama, mexendo devagar a colher de pau dentro da panela.

    Por um instante vi essa moça como quem vê uma morta, os lábios cheios e fechados, as mãos pequenas e mais alvas do que são. Seus cabelos curtos não chegam a encher um pente, e esses olhos de gato diante de um farol parecem feitos de vidro. Como ela não falava, concluí que tinha se acanhado, comigo sem as calças e a camisa de fazenda ainda abotoada. Fazia tempo que não passávamos por um momento desses.

    Você sabe, menina. Uma situação assim não pode durar.

Calma, Jurandir. Ainda está quente.

Não é isso, falei. Você guardou a Coca que eu trouxe?

Guardei.

É sua.

Eu sei. Obrigada.

Minie despejou uma colherada de pasta na polpa da minha coxa. Senti a picada do calor me amolecendo os ossos e a musculatura, afrouxando a pele enrugada por cima do joelho. Com o choque, a sensação foi de que minha perna tinha sumido, longa como uma tora úmida, mais fofa. A pasta começou a secar, formando uma pele morna e engelhada, escondendo a cicatriz. Com essa impressão, a nevralgia foi cedendo.

Aperta aí, garota.

Já vai, ela disse, e colocou a panela de lado.

Quando a mistura de parafina com manteiga de cacau some, resta uma capa fininha por cima, até metade da perna. Logo vem a vontade que sempre me dá. Com a massa seca, é essa pele de cera que coço e arranco despelando como uma cobra criada, puxando os pelos por cima do formigamento, o que tanto me alivia o dolorido do joelho.

Você gastou a manteiga toda?

Jurandir, só era um resto.

Qualquer bocado custa os olhos da cara.

Eu sei, Minie disse, e virou a concha despejando o que tinha.

Com o calor, assoviei, soprando a perna.

Seu frouxo, ela falou, e começou a passar as mãos no meu joelho.

Fechei os olhos e fiquei quieto. Talvez por esta sensação de alívio, e também pelo fato recente da minha decisão de ir ao Recife, a primeira imagem que me veio foi de novo a do cartão de Minie. O menino com um balão colorido e, ali dentro, aquela mensagem que ressoava na minha cabeça.

Ao nosso querido protetor desejamos boa viagem. Que esse caso se resolva e o senhor volte logo.

Minie me ouviu repetindo esses votos e sorriu. Creio que o sorriso também queria dizer qualquer coisa que ela própria não tinha coragem de confessar. Então, um pouco sem jeito, lhe fiz aquele convite que me escapou depressa demais.

Vou acabar indo de carro, eu acho. Com o carro da empresa. Eles pagam tudo, eu disse, e arrisquei a pergunta. Por que você não vem comigo? Mas logo em seguida me dei conta da confusão que tinha feito.

Ir aonde, Jurandir?

Só estou falando. Você podia ir comigo nessa viagem chata. Podia ou não?

Ela não disse nada. Tirou as mãos da minha coxa e se levantou. Ficou me olhando, querendo saber que plano realmente era esse.

Ir com você, é?

Continuei calado.

Minie sacudiu a cabeça e me deu as costas. Foi andando em direção à porta. Dali, sem se virar, com a panela na mão, fez um gesto com a colher de pau, apontando para mim e depois para a janela. Girando o côncavo dessa colher no ar. Querendo dizer, com isso, que eu saísse dali naquele mesmo instante. Que eu me vestisse logo e fosse embora para casa.

*É preciso andar com um pouco de tudo.*
UM SORVETEIRO

Os eventos a seguir são de difícil concatenação. Houve um grande bate-boca. Não saí imediatamente do quarto de Minie nem no dia seguinte fui ao Recife, tal como havia planejado. Aquele apartamento dela, que antes parecia ser o trampolim para uma vida livre e mais sossegada, onde eu e Minie desfilávamos nossas mágoas e o espírito geral dos sonhos que queríamos realizados, esse imóvel logo se transformou num claustro, cheio de cobranças e privações.

Uma imagem que me voltou mais de uma vez, ainda quando estava ali com ela, foi a sua figura acocorada com os braços cruzados sobre uma das pernas e a cabeça ligeiramente encostada na parede ao lado, olhando para longe com aquele olhar duro, estúpido pelo choro preso, reclamando de coisas que eu próprio não alcançava entender. Porém, essa pose indefesa não foi a que Minie fez quando me apontou a porta, mexendo o braço com a colher de pau encerada pela parafina. Sua inclinação ali era outra. Desci as escadas sem que ela se dispusesse, sequer, a um mero aceno com a mão. Fiquei imaginando se este seria o lance final da nossa amizade.

Saí dali pensando naquelas unhas pintadas de branco. Esse capricho de moça foi como uma gota que transbordasse um copo cheio. Ampliou o efeito da impressão que Minie me causou na despedida. Por isso, o momento agora me volta mais severo e pesado, retinindo no detalhe que, creio eu, era parte importante de minha ligação a ela, de minha curiosidade frente a sua faceirice e ao próprio modo como comentávamos as nossas manias. Muitos de vocês já passaram por coisa parecida, não tenho dúvida. Pois saindo dali com a noite alta, tentando colocar as duas meninas numa só, aquela que tinha chorado acocorada meses antes e esta que me soava escrupulosa demais, e eu querendo dessa fusão tirar um plano de como proceder, mas sem conseguir chegar a tanto, enfim, acabei percebendo o volume da ansiedade que hoje me persegue.

 Na ocasião, uma coisa forte me tomou o peito. Senti vontade de voltar e lhe dar um abraço, para com isto deixar que o tempo corresse sem que precisássemos dar às coisas uma direção definitiva ou difícil de retroceder. Mas, não. Segui devagar, dali para casa, trazendo comigo a sacola com as pastas do caso do rapaz queimado e, no bolso, o pedaço de cartolina com o desenho do menino segurando a ponta de um balão.

No quarto que foi de meu filho hoje temos ali um pequeno escritório. Demorei a chegar a essa resolução. Na verdade, isso só veio aos poucos e muito porque minha esposa tomou a iniciativa na remodelação do cômodo. Creio que, de tanto me ouvir que por aquela janela entrava a melhor luz da casa, e sempre me vendo trabalhar até tarde na mesa de jantar, ela se acostumou primeiro que eu com a realidade da mudança. E, apesar de tudo isso seguir a ordem natural das coisas, até àquele momento nenhum de nós dois tinha tido coragem de dar a ideia ao outro.

 Então um dia Heloísa afastou os móveis e me pôs no canto da parede uma mesinha com lâmpada. Quando entrei em casa uma tarde dessas e separei a caderneta para ir escrever na sala, minha esposa se virou para mim. Você vai ficar aí, Jurandir? Vai me atrapalhar, ela falou. Só então percebi que em cima das cadeiras de jantar havia duas sacolas cheias de retalhos de pano e uma revista com moldes encartados em papel azul. Vai para lá, Heloísa disse, e apontou para o quarto. Fiquei sem entender.

    A permissão é uma coisa curiosa. Aos poucos notei o que estava acontecendo. Lembro que só me inteirei da situação por completo, do quanto havíamos mudado com relação ao assunto, quando, sem lhe responder, fui e acendi a luz do cômodo. Vi a cama, com as cabeceiras encostadas contra o guarda-roupa, uma mesinha nova ao lado da janela e, já em cima dela, o abajur com a manga de vidro enroscada em volta de uma lâmpada transparente, amarela, das que gosto de usar. Até ali não tive qualquer reação. O que experimentei depois foi curioso, como um golpe de conforto. Como se minha mulher tivesse posto um ponto final na questão que vinha nos causando tanta confusão e remordimento. Passei para lá naquela mesma noite, cuidando de organizar alguma coisa do trabalho e também as minhas próprias anotações.

    Heloísa tem boas ideias, muito embora seu talento seja pouco para a costura. Costuma passar ali ao lado, na sala, metade da noite folheando revistas, copiando receitas, tentando a sorte com esses moldes de linha, esperando, penso eu, que seu marido vá e lhe diga qualquer coisa. Ou então talvez esteja simplesmente velando de novo aquele momento de antes, o primeiro, quando deixamos para trás, de vez, a ideia de ter nosso menino de volta ali dentro, ele conosco naquele quarto que já tinha sido o seu.

    Era essa reviravolta de coisas que tinha na cabeça quando entrei em casa após o desentendimento com Minie. A caminhada me pareceu mais longa e morosa que de

costume. Cheguei tarde e fui apanhar um pouco d'água na cozinha. Passei pelo quarto em questão e dei com Heloísa de pé, me esperando com uma xícara fumegando na mão. Não pude deixar de comentar o fato.
 Você toma café a essa hora e não dorme, eu disse. Fica se mexendo.
 Se mexendo, Jurandir?
 Àquela altura não queria mais outra discussão. Fui para a mesa da cozinha e ela também veio. Heloísa sentou na minha frente e começamos a falar como antes, como quando comentávamos animados sobre o verdão e os planos que ela punha na cabeça às vésperas das viagens que já fizemos juntos. E a verdade é que ainda hoje penso nas nossas excursões com imenso prazer.

Sem saber muito bem por que nem como, acabei indo pescar com seu Constantino, o meu sogro. O lugar era muito bonito, mas não sei onde era. Parecia com o Amazonas. Neste local ele, eu e outros pescadores mergulhávamos num lago para pegar jacarés, peixes, lagostas. Lembro que ancorado no lago seu Constantino tinha um belo barco, bem grande e branco, e que na saída ele desmontou algumas partes a fim de atracar a embarcação embaixo de uma plataforma que parecia uma espécie de doca. À noite, a pescaria já tendo terminado, estávamos na beira d'água quando, de repente, meu sogro mergulha com a roupa do corpo. Não queria fazer aquilo, mas todos diziam que eu deveria ir e me davam tapinhas nas costas para que fosse logo. Tanto fizeram que acabei perdendo o equilíbrio e caí no lago.
 Quando voltei à superfície e abri os olhos, tive uma surpresa. Já estava de volta em casa e me preparava para ir ver Minie. Na saída passei pelo quintal. Uma vez lá, vi que Barnabé jardineiro tinha feito várias coisas que

não me agradavam, uma era a ampliação da casa dos cães. Essa casinha ele tinha aumentado do tamanho original, porém tudo muito malfeito, com tábuas soltas e dentro uns vira-latas latindo. Chamei Barnabé imediatamente, que veio barbado e com aspecto de bêbado, já com receio da minha raiva. Falei que assim não era possível e que não estava certo, então por que era que ele tinha feito aquilo? Com medo, ele tentou se explicar, mas eu, furioso, lhe disse que isso era ruim, porque mostrava que na minha ausência ele não estava trabalhando como deveria. Disse mais, que se tudo não se ajustasse rápido eu teria que ver outro jardineiro para a casa. Ele prontamente chamou um ajudante e começou a desfazer o que tinham feito na casinha dos cães. Esse ajudante não concordava muito com aquilo. Parece que ele próprio tinha dado a ideia da puxada. Lembro que Barnabé, na ocasião, se parecia muito com meu amigo Marco Moreno. Na verdade, eles são o oposto um do outro.

Então me voltei para o lado de Heloísa e fiquei olhando para ela. Fiz isto discretamente, para que minha esposa não se chateasse com o que noutra ocasião já tinha lhe parecido um exame de minha parte. Vi ali os sinais daquela beleza de antes, que tanto me encantou logo quando nos conhecemos. Seus olhos redondos e escuros. O cabelo preto, muito liso. A boca fina. Falei que tinha sonhado com o pai dela e que estávamos juntos num passeio de barco e ele muito animado com a pescaria. Não sabia muito bem como tínhamos ido parar ali. De repente, a cena vira para o nosso quintal e eu acabava descobrindo as burradas que Barnabé jardineiro tinha feito durante minha viagem.

  Heloísa me ouviu muito séria e prontamente passou a comentar essas figuras. Em certo momento, ela se virou para mim. Papai ligou, queria falar com você, ela disse, e calamos.

Todos sabem que Heloísa é amiga da rua. Gosta de estar fora. Leva a sério os planos de onde ir e o que levar ou trazer dos lugares. Sou o oposto disso.

Jurandir, você está me ouvindo?

Ela continuava ali, parada, tomando sua xícara de café, arriscada a passar outra noite em claro. Mencionei a situação do rapaz queimado e a ligação da mãe dele. Uma chamada que essa senhora me fez justamente durante o almoço. E como era que sabia o meu número e que eu costumava ficar no verdão àquela hora? É claro, alguém dali tinha lhe dito.

Você vai falar com ele ou não, Heloísa me perguntou de repente, mas não respondi. Desta vez, Jurandir, você devia.

Veja bem, falei. Quem de nós dois precisa procurar mais as pessoas, me diga. Hem?

Não estou falando disso, Jurandir.

Então do que é que você está falando?

Estou falando de você fazer o que prometeu. Só isso, Heloísa disse.

Fiquei calado. Não sei por que, com ela na minha frente, abafando uma fúria qualquer, lembrei do beijo, o nosso primeiro, que dei na jovem Heloísa. O mesmo derretimento nela se convertia facilmente num estouro. Com Minie então é que não foi diferente. Seriam assim as mulheres todas? Longe disso. Uma vez quis confirmar o fato e acabei perguntando a Minie o que era que ela pensava de mim, realmente.

Garota. O que é que você viu aqui? Eu, um velho, falei batendo no peito.

Ela disse que tinha sido a minha insistência, que era tanta, e ela tinha pena disso. Então ri. Nunca insisti em nada, menos ainda com mulher. Outra vez

Minie me levava com as graças dela. E tontamente eu caía.

Posso passar dias dentro de casa e, quando quero ver o sol, ponho a cabeça para fora. Sendo que ele é o mesmo de sempre, redondo e amarelo, então volto para dentro. Nisto de sair e de estar fora, Heloísa e Minie são bem parecidas. De ambas já ouvi comentários semelhantes. Saia da toca, Jurandir. Desencante, homem. E provocações assim já acabaram virando piada.

 Numa recepção de fim de ano, disse a Minie que era óbvio o quanto ela gostava de estar ali na festa, conversando com pessoas estranhas, fazendo sala, esperando outra música apenas para dançar com algum rapazola da camisa estampada. Minie riu. E tem coisa melhor, ela perguntou.

 Claro que tem, respondi. Lembro que iniciamos uma longa discussão sobre se o mais prazeroso era estar em grupo ou, em vez, passar o tempo na companhia de menos gente, por exemplo, a dois. Minha inclinação sempre foi por esta segunda opção, falei. Mas isso faz tempo. E o que agora me volta não é bem a conclusão que tiramos do assunto e, sim, a maneira risonha de Minie me responder com perguntas, esse jeito de mocinha querendo fazer algazarra com tudo. Um traço que hoje também parece que já vai longe.

Ficamos em silêncio um momento, tomando café na cozinha, eu e Heloísa. Depois, ela se levantou e foi em direção ao quarto. Pensei no que ainda precisava fazer e no que era mais urgente àquela hora, já tão tarde.

 Arrumar malas me chateia. É algo que não posso evitar. Vagueio em volta das gavetas. Abro e fecho as bolsas. Não sei o que levar. Mais de uma vez refiz uma maleta inteira, já depois de pronta. Há anos que Heloísa separa o que preciso, depois encaixo alguma coisa onde couber. Pensava eu nessa amolação, quando, antes de ir para o quarto, ela veio para cima de mim outra vez. Fiquei surpreso com seu tom.

    Você quer me ver louca, não é?
    Heloísa às vezes exagera. Tem esse espírito.
    Não é? Pois assim você vai, ela disse. Jurandir, você não podia ter ligado? O dia inteiro fiquei esperando por conta dessa viagem. Você vai mesmo ou já desistiu?
    Já disse que vou.
    Acho bom.
    Continuei calado.
    Onde está sua bolsa?
    Ainda vou preparar.
    E você já jantou?
    Comi uma besteira no bar do Neco, falei.
    Jurandir, escute aqui, ela disse, e largou o que tinha na cabeça. Papai vai telefonar de novo. Ainda hoje. Ele quer falar antes de você ir. E só depois de me dar esse aviso, Heloísa pôs a xícara de volta na pia. Depois se virou e entrou para o quarto.

    Fiquei sozinho, pensando nas cobranças de minha esposa, então fui até a área de serviço. Na parede do fundo acendi a luz que dá para o quintal. Olhei um tempo para fora, através do basculante da porta e também pela janelinha por cima do tanque.

    Há dois anos cimentei o pátio de trás e pus nos cantos do muro jardineiras com flores e ervas de cozinha. Umas poucas vezes recebemos gente ali atrás, armando embaixo do guarda-sol as mesas e cadeiras dobráveis que comprei no Ferrabrás. O vão cimentado dá um bom espaço para a movimentação das pessoas. Mas o plano que faz tempo eu e Heloísa fizemos, de receber mais gente e apreciar companhia nova, isto acabou nunca passando das primeiras ocasiões. Não creio que a ruína dessa ideia tenha se dado apenas pelo meu desinteresse nos churrascos que minha esposa imaginava promover ali fora, com gente amiga dela. O resultado é que herdei a manutenção do quintal. Varro o piso cimentado nas sextas-feiras, logo que volto do verdão. Quando tiro o fim de semana para escrever um pouco, fico olhando da janela do quarto para fora, vendo o movimento dos pássaros, insetos e lagartixas por baixo das folhas, escalando o muro e os galhos mais altos. Quem passa sem atenção não conta que esses bichos sejam os mesmos, mas a verdade é que são. Nenhum deles vai muito longe. Ficam por ali vagabundeando entre os lugares de sempre. Até os animais cuidam de manter a sua rotina com muito apuro. E isso dá o que pensar.

 Naquela hora, olhando para o quintal, notei que a casinha dos cães estava cheia de folhas secas. Abandonada como anda há tanto tempo, sem bicho para nos estorvar a rotina, o fato é que essa caixa caiada e com telhas de cerâmica é talvez a única evidência de um tempo melhor. Cachorro dá trabalho porque é bom acompanhante. Mas hoje ali é um canto em que não costumo mexer muito, pois esse abrigo eu levantei com o meu filho, ainda na época em que tudo lá atrás era coberto de grama e barro batido, onde chutávamos bola e passávamos as tardes em competições de flecha e tiro de ar, estourando bexigas e latas d'água, de longe metendo chumbinho por dentro da boca dos vidros, cada distância ou bitola de garrafa valendo uma pontuação diferente. Para mim e para ele, essas competições inventadas no quintal acabaram sendo uma forma de matarmos o pouco tempo que passamos juntos.

 É um fato bem comprovado que Quirino Coutinho, mais conhecido como Kid Couto, é hoje, como no meu tempo foi Marco Moreno Prado, um motoqueiro furioso, um verdadeiro menino-problema.

A amizade e a competição são laços fortes. Da mistura entre as duas vem um quê de feitiço que deixa a vida mais intensa e original, as cores berrantes da dedicação fazendo mais sentido que o resto. Fico imaginando se algum amigo do rapaz que queimou o rosto no vapor não esteve envolvido nisto. Se por acaso, por bem ou por mal, um colega não deixou ele cometer o erro de abrir o disjuntor de pressão antes de fechar as válvulas do compressor. Poderiam ter dito ou lembrado a ele que tomasse essa precaução. O rapaz quase perdeu um olho.

Assim também Kid Couto, o garoto estroina e amigo de meu filho, poderia ter acedido à sugestão daqueles com mais juízo, para que ambos usassem capacete ou que ele pilotasse com meu menino numa velocidade mais baixa. De tanto que já lhes tinha contado a desgraça de um acidente de corrida, imagino que meu próprio filho deva ter aventado essa possibilidade. Mas em grupo tudo fica pior. A turba, a multidão, o populacho, com as pressões que exercem sobre o tino individual, acabam por nublar decisões que são as mais acertadas, decisões que têm a ver com o destino pessoal que cada qual traça minuto a minuto, dia após dia.

Tenho certeza, meu filho deve ter alertado ao colega. Opa, Kid Couto, devagar. Mas em troca imagino que recebeu o oposto, a gozação, pois todo metido a valente tem medo de que o vejam como é, um indivíduo com quase nada a dar de bom e, por isso mesmo, afeito ao exagero. Argumento nenhum vale. Não adianta pensar. E o bronco acelera mais e mais a sua motocicleta moderna, tirando fino nos pedestres, voando da rua para cima das calçadas, indo derrubar placas, velhos e latões.

Hoje é difícil não descrever isso tudo com as cores da importância que têm as pessoas e os lugares mais queridos, os momentos que queremos de volta. De novo pensando nisto, tirei a sacola que trouxe do verdão e o desenho de Minie com a foto do rapaz queimado. Pus ambas em cima da prancha de passar a ferro, na área de serviço. Fui até a cozinha e apanhei uma tesoura na gaveta das facas. A foto do infeliz refletia a lâmpada que pus no bocal de fora, em frente à porta de trás.

    Comecei a recortar o retrato, contornando a imagem de um meio corpo meu, tirando dali a minha figura, que aparecia por trás do garoto, seu rosto deformado e eu de pé, à cabeceira da cama da policlínica, onde ele tinha se sentado para que o fotógrafo fizesse o registro do desastre. Enquanto cortava a foto, ouvia o ruído do chuveiro e das gavetas lá dentro. Era Heloísa no banheiro se lavando para ir deitar e arrumando uma bolsa de roupas para a minha viagem. Então voltei a pensar naqueles primeiros dias que passei no Recife, com Marco. Nós dois na sua casa numa época em que seu pai andava metido em disputas com a família, ao passo que meu amigo punha em mim o entusiasmo de ter ao seu lado uma companhia da mesma idade. Marco contente comigo e eu ali com a perna enfaixada, servindo de par nas suas brincadeiras dentro de um casarão rodeado daquelas tantas qualidades de bichos e de jardins.

Tanta riqueza e tamanha indecisão. Ainda vejo meu amigo prostrado diante do pai e da cadela nervosa, correndo em volta da palmeira que os dois plantaram no gramado da frente, no velho sobrado da Rosa e Silva. Seu pai vestindo um terno de linho areia, o chapéu-panamá em cima da cadeira do quarto, ele já sem o paletó e as mangas da camisa arregaçadas. Marco olhando para ele como quem vê um bicho de outro planeta. Enfim, nós todos ali no Recife, e eu cuidando da perna ruim, que me doía depois do trambolhão, lembrando de minha casa tão longe e diferente daquilo tudo e agora, anos depois, lembrando também das vezes em que eu e Marco andamos juntos, de volta ao verdão, chutando pedra nos caminhos por onde, há pouco, vagueei com Minie contando a ela alguma coisa dessa época em que estive na capital pela primeira vez. Eu no quarto dos pais de Marco com a cadela Iracema latindo no jardim e o meu amigo distraído, olhando aquele trinta e dois prateado trocando de mãos no colo de seu pai.

    Jurandir, eu não acredito nisso, Minie me interrompeu uma vez.

    Estou lhe dizendo, falei. Você pensa o quê, que sabe como é esse povo?

    Ela ficou calada. Perguntou outra coisa, perguntou quase me acusando. De verdade, você vai ao Recife fazer o quê?

    Há bichos que lutam para sobreviver. O homem é um desses, eu disse.

    Ela então comentou que eu era um ser complexo.

    É claro, falei. Sou assim mesmo, e os amigos e as pessoas mais próximas têm de saber lidar comigo.

    Minie riu. Demorou rindo. Fiquei chateado por ela ter puxado o assunto.

    Mas isso tudo foi antes da longa discussão que tivemos no apartamento dela. Bem antes da minha decisão de viajar sozinho e ir de carro, de aceitar o transporte da empresa em vez de tomar um ônibus de linha ou outra condução de aluguel.

    Enquanto preparava a partida, tentei não debater com Heloísa a mesma questão que ela vinha querendo esclarecer disfarçadamente. Se eu e Minie tínhamos estado juntos e para quê. Se eu ia procurar alguém, uma vez que chegasse ao Recife. Se realmente era possível permanecer nesta situação que armei em família, eu sem muito contato com seu Constantino, logo ele que podia me dar uma direção no caso do rapaz queimado.

 Antes de fechar a mochila, acabei de cortar a fotografia do menino tirando meu rosto daquela cena deprimente. Colei minha parte da foto no desenho do balão, junto do garoto colorido segurando as pastas com a linha da bolota agarrada à mão. Ainda naquela noite, do lado de fora de casa, catei umas rosas e um molho de miosótis das jardineiras ao pé do muro de trás. Deixei tudo num vaso em cima da mesa da cozinha. Demorei mais outro dia resolvendo coisa miúda, pensando no que era a vida com pressa. Enquanto isso, eu e Heloísa evitávamos voltar a esses assuntos e víamos o miosótis murchar e as rosas, por sua vez, entaladas na poncheira de vidro, de pé, continuarem praticamente as mesmas. Até nisso, no tempo que levam para despetalar, as plantas diferem muito.

 Então, no terceiro dia, acordei cedo e decidi pegar a estrada com o sol baixo. Entrei na sala ainda às escuras e fechei a bolsa que já tínhamos separado. Ia sair sem tomar café, mas Heloísa levantou dizendo que não. Que isso ela não iria deixar de jeito nenhum.


Voltava de um passeio e trazia na cabeça, embaixo do boné, quatro lagartixas. Estas, ao chegarem ao quintal de minha casa, estavam completamente deformadas e morriam. Antes, elas me diziam uma coisa importante.

 Mas, Jurandir. A gente estava tão feliz no campo, e você nos trouxe aqui só para morrer. Sentido com aquilo, falei que não sabia que isso iria acontecer. Então elas morreram e eu joguei as quatro num latão de lixo.

 A cena muda para um quarto onde estávamos eu e Heloísa. Quando deitamos, tentei evitar uma das pontas da cama. Ali parece que ainda havia uma poça de sangue das lagartixas. Fiz isto com asco, enquanto Heloísa me observava calada.

Então de novo a cena muda. Estava na varanda de casa e notei três gaiolas com passarinhos dentro. Achei estranho, já que Heloísa nunca gostou de nada preso em casa. Perguntei o que era aquilo e onde era que ela tinha comprado essas gaiolas? Ela respondeu que tinha sido ali mesmo, na cidade. Não tendo nada para fazer, ela tinha saído com uma amiga para ir às compras. Fiquei surpreso que ali perto houvesse gaiolas e passarinhos tão bonitos. Disse que estava bem, mas não queria que ela saísse todos os dias. Daí, começamos um longo bate-boca semelhante ao que tivemos antes da nossa separação.

A família dela me dava apoio e todos diziam que com o tempo tudo voltaria ao normal. Com isso, voltamos a viver juntos, mas Heloísa tinha mudado muito. Era noite e estávamos deitados, quando de repente me levanto para ir ver alguma coisa no quintal. Lá havia vários homens cortando a cerca de papoulas. Gritei pelo jardineiro Barnabé e ele não me ouviu, ou não quis ouvir. Os outros diziam que estavam fazendo aquilo por causa de uma peste de cupins, e de fato vi várias fileiras de insetos que não sei se realmente eram cupins. Quando volto para o quarto, dou com Heloísa conversando com um homem estranho na varanda. Vou até lá ver de que se trata isso e, de repente, encontro uma confusão horrível.

Um menino, filho de um comerciante, fazia uma queixa contra a minha esposa. Tomei imediatamente o lado dele. Quando tudo já estava resolvido e entro no quarto onde estão Heloísa e a amiga dela, o menino vem e entra também. Fiquei furioso porque elas ainda estavam nuas. Chamei o rapaz à ordem, mas ele só fazia rir. Tinha ficado debochado. Impedi que aquilo continuasse e lhe dei uns cocorotes. O homem estranho, que estava falando com Heloísa quando voltei do quintal, também veio quarto adentro procurando por ela. Eu disse que ali era a minha casa e ele não podia ir entrando assim, sem mais nem menos. O homem não me deu atenção. Eu já tinha achado muito esquisita a sua presença e então perguntei à amiga de Heloísa aonde era que na minha ausência elas tinham ido? A moça me respondeu mostrando um bilhete da minha esposa. Esse bilhete trazia uma desculpa muito fraca. Agora, com aquele homem ali, no quarto, eu me vi louco. Heloísa dizia que ia com ele e eu lhe dizia que não. Afinal, depois de uma longa discussão, ele foi embora e ela ficou.

Fomos para a sala na casa de meu sogro e lá toda a família novamente me dava razão. Diziam que desta vez eu poderia ficar com nosso filho, André. Que juiz nenhum daria a criança a uma mãe tão louca, quem disse isso foi o meu sogro. Seu Constantino tem prática no fórum e entendia daquilo. Telefonei para outros parentes e disse a eles que iria mandar Heloísa de volta e lhes expliquei por quê. Eles concordavam comigo. Acrescentei que apesar de tudo ainda gostava dela, inclusive pretendia lhe dar um presente de despedida. Heloísa, por sua vez, dava suas razões chorando muito.

Finalmente, antes da separação, fomos a uma boate e ficamos até de manhã conversando. Eu lhe dizia o quanto aquilo tudo me doía. Ouvindo isto, ela rebateu de modo cruel.

Jurandir, meu filho, Heloísa disse. Eu quero um homem que tenha cultura. E você não tem nenhuma.

Pela manhã, quando o garçom já ia fechando a boate, eu e ela saímos dali e fomos tomar um banho de sauna. Lá havia uma moça que tomava conta. Quando essa moça entrou no chuveiro, trazendo as toalhas, vi que o seu corpo era lindíssimo. Mas, em vez de uma vagina, entre as pernas ela tinha era um pequeno membro.

\* \* \*

Fechei a bolsa e saí de casa com o dia amanhecendo. Disse a Heloísa que não tomasse mais café perto de dormir, que isso fazia mal. Minha esposa me abraçou. Senti uma grande tristeza. Éramos tão próximos e ao mesmo tempo estávamos tão distantes um do outro, eu indo para aquela viagem sem saber direito como iria proceder no momento de discutir o caso do rapaz queimado com os advogados do Recife, no Cais do Apolo. E como era que poderia dizer ao defensor trabalhista que a policlínica tinha salvado o rapaz do pior? O pior era o quê? Quem é que sabe como será a vida dele de agora em diante? Foi isso que a mãe do garoto me disse ao telefone. E ela tem toda razão.

Na despedida, Heloísa falou que eu não me preocupasse, ela agora ia tratar da casa do jeito combinado. Respondi que tudo bem, eu próprio tinha pensado melhor. Logo iria fazer da velha casinha dos cães uma churrasqueira maior. Ela já podia pedir no Ferrabrás uma pá de tijolos com as ferragens, que do resto cuidava eu.

Na volta busco alguém para destelhar a casinha, puxar o concreto, eu disse. Aquilo só serve para juntar bicho e folha seca.

Jurandir. Isso não tem pressa, Heloísa falou.

Saí de casa acenando e comecei a andar pela calçada. Fui a caminho do posto onde era para estar o carro da empresa. Conforme acertado com a diretoria, ele me servia até chegar à capital. Lá era para eu entregar o transporte a alguém do escritório de vendas ou aos próprios advogados.

A calçada da minha casa até o mercado é de pedrinhas e cimento, com partes ainda no barro e aí buracos onde a chuva de vez em quando deixa poças. Com pouco, cheguei ao posto e de longe vi um carro branco, pintado com a marca da empresa, a antena de rádio decorada com fitinhas verdes e amarelas. Caminhei até o rapaz que passava uma flanela na bomba de diesel e apontei para o veículo estacionado ali perto.

O tanque está cheio?

Não sei, o bombeiro disse, depois parou para ver quem era e achou que devia comentar minha presença. Mas ninguém me avisou nada, ele falou. Pensei que o senhor não fosse esta semana.

Ah, se vou, respondi.

Mas o senhor nem ligou.

Não liguei, mas vim. Cadê a chave?

Lá dentro, ele disse, então se virou e saiu andando.

O carro estava apontado para a rua, parado ao lado da casinha das bombas, perto do compressor de calibragem. De longe não dava para ver o nome do cotonifício impresso no capô dianteiro. Era uma perua branca com o estofado de vinil marrom. Os faróis de milha embaixo das lanternas dianteiras causavam grande impressão. Logo que o bombeiro trouxe a chave, fui até lá, abri a porta e entrei. A perua era praticamente nova. Pus as pastas com os documentos no piso do passageiro e a minha bolsa no assento de trás. Acenei para o rapaz e disse que já ia, pois estava na minha hora. Ele acenou de volta.

Liguei o rádio e girei a chave. A perua tossiu, mastigou fanhosa e deu um estouro. Para minha surpresa, o motor não pegou.

Um homem que passava em frente, caminhando na calçada do posto, parou um momento. Riu e fez sinal com o polegar para baixo, apontando na direção do chão, querendo dizer com isso que a bateria estava solada e não tinha jeito, ia precisar de um empurrão.

Senti uma grande frustração. Tive raiva daquele passante, intrometido numa causa que não lhe dizia respeito, então passei meu revólver do bolso para o porta-luvas e comecei a juntar forças, a fim de pedir ajuda ao rapaz do posto.

\* \* \*

Estava com uma velha professora minha, chamada Valquíria, dentro de um carro parado em frente a uma casa muito grande. Eu tinha oito ou nove anos. Ela falava com uma senhora cujo nome não me lembro. Então tia Valquíria pedia a essa senhora papel, lápis e um quarto, pois ela ia me dar uma lição. Dizia que não era uma lição comum, embora só precisasse de papel, lápis e do quarto. A velha disse que esperássemos um pouquinho, que ela voltava já com o material e a chave, e saiu sorrindo, em direção a uma porta enorme que dava acesso à casa dela. Achei estranho e maldei aquilo. Corri dali o mais rápido que pude.

Fui bater numa pracinha, entre a tecelagem e a prefeitura. Olhei em redor e me lembro de ter dito a alguém, passando ali naquele instante, que o local era ótimo para um tiroteio. Após me ouvir, a pessoa apontou para o rio, o qual corria logo em frente. Entendi e voltei ao trabalho. Eu era um mero servente da empresa.

Trajava meu macacão azul, com o balde à mão e uma espécie de vassoura grande, e estava limpando o rio quando de repente aparece uma moça, que na realidade era noiva de meu amigo Marco Moreno. Tanto ele como ela são do Rio, da capital, para onde ele já tinha voltado.

Perguntei pelo noivo dela e disse que ele era um grande amigo meu. A moça falou que o rapaz tinha morrido, pois virou bandido e como andava muito valente, com a mania de carregar uma espingarda matando seus subalternos, então os outros tiraram a desforra à faca. Fiquei com pena dela, agora viúva, e comecei a consolar sua alma sofrida. Acontece que o consolo deu para conquista e logo passei a acariciar a moça com beijos nas orelhas e no pescoço, também nos joelhos, do que aparentemente ela gostava muito. Lembro que, no final, ela comentou algo esquisito.

Jurandir, você tem as mãos grandes como remos.
Não concordei, mas fiquei calado.

Antes de saltar da perua, bombeei o pedal do acelerador, girei a chave outra vez e o motor pegou sem que ninguém precisasse empurrar. Ela afinal só estava seca, vários dias me esperando parada no canto do posto. Ri e fiz sinal para o homem na rua, mostrando meu polegar para cima. Acenei também para o bombeiro, que estava vigiando minha tentativa, contando que eu logo iria lhe pedir auxílio. Mas não foi preciso, e o rapaz se despediu de mim agitando contente sua flanelinha amarela.

Tomei a estrada para o Recife ainda cedo, como havia planejado. Fechei os vidros, liguei o ventilador e aumentei o volume do rádio. A rodovia estava tranquila. Iam os carros e os caminhões em fila única, ninguém forçando passagem nem costurando pelos acostamentos.

Na saída da cidade, fiquei remoendo o sonho da véspera e também aquele momento de comoção que marcou minha primeira ida à capital, anos atrás. A memória do instante que me ligou a Marco Moreno. Seu pai de revólver em punho falando baixo com os empregados após voltar do Rio de Janeiro, depois ele próprio desaparecendo. O vigia da casa sempre desfazendo todos ali, e a sua mãe, a mãe do meu amigo, naquele alheamento dela nos contando historinhas, ela abraçada ao menino enquanto eu lhes servia de plateia.

A propósito disso, me pergunto, quantas mulheres bastam para estragar um homem? Penso que basta uma. E também o oposto, quantas mulheres por trás de um homem fazem dele o que ele realmente é? Creio que, neste caso, sempre serão muitas.

Quando éramos jovens, escrevi para Heloísa a respeito disso. Tínhamos nos conhecido nas bancas do ensino normal, estudando latim e outras matérias que nunca me serviram na vida prática. A despedida de ano se dava com uma festa de pátio parecida com a quermesse da igreja, que tanto me aborrecia. Vi Heloísa de longe, um dia, numa daquelas festas, com seu cabelo muito preto e a pele alva. Então me fixei nela durante um longo tempo, sem lhe falar de meu carinho. Nos meses iniciais da amizade, meu coração batia forte e acelerado. É tão tolo esse longo susto que nos causa uma primeira fascinação, é de fato uma poção ridícula, mas poderosa. Sei que vocês já passaram por coisa parecida e entendem disso, o amor é assim mesmo como estou dizendo. Algo bom e que nos deixa com o riso e o choro fáceis demais.

Foi sobre isto a minha primeira carta a Heloísa, quando passamos a ter medo da distância que deveria vir logo após minha formatura da escola. Se eu saía ou não da nossa cidade, se podia partir para coisa melhor na capital. O fato é que, depois de uma viagem curta, acabei voltando para ficar onde estava.

Jurandir, aqui mesmo você pode fazer sua vida, a jovem Heloísa me disse.

Não vale a pena pensar nisso. São coisas que ninguém controla.

Você ficando, então quando eu voltar nós seguimos juntos, ela disse. Falou com vergonha, cismada de soar moderna. Volto para ver você, Jurandir.

Não respondi.

Pensa que não?

Eu penso é que você quer ir. Você própria não vê a hora.

Por favor. Não fale assim, ela disse.

Já está com a maleta pronta? Deve estar.

Então Heloísa, novinha, atenta ao meu tom, se inclinou devagar e me beijou, comigo parado, sem reação. Não um beijo na boca, com a língua namorada, mas no rosto perto da boca, o beijo de uma prima. Creio que ela própria queria que tivéssemos tido outra oportunidade fora dali, juntos, logo de início, para que então este assunto não virasse mais uma parede entre nós dois. Enfim, ela fez a tal viagem, a primeira de muitas, depois de me ouvir falar várias vezes de como tinham sido os meus primeiros dias no Recife, anos antes, na casa de Marco Moreno cuidando da minha perna e, a bem da verdade, cuidando também dele, logo após um acidente ocorrido com o seu pai.

Naquela altura eu disse mais uma coisa, uma última exigência, fiz um pedido antes da partida de Heloísa para o Recife, onde ela ia começar com a preparatória para a faculdade. Lembro que escrevi numa folhinha de papel mais ou menos o que queria expressar.

Heloísa, por favor, deixe uma foto sua para que eu possa ver se a imagem que vou guardar é a mesma de antes, a primeira do tempo no pátio do Imaculada, as nossas cadernetas com desenhos de pássaros e santinhos marcando páginas e cartões cheios de covardia, os pastéis das monjas se desmanchando e eu admirado daqueles pés de manga crescendo junto com meu alarme diante de seu gosto em escalar árvores, meu Deus, a sineta das cinco na saída e você ainda abraçada aos troncos, me diga por que é que o passado que é doce dói tanto?

Foi isto ou mais ou menos isto que lhe copiei e agora repito, sozinho, com a voz apertada pelos estreitos da distância.

Difícil é saber o sentido das coisas com muita exatidão. A verdade é que o passado ali tinha apenas a extensão de três anos. Três anos. Era um pedaço grande para nós dois, tão jovens, e talvez tenha sido mesmo o melhor pedaço das nossas vidas. O amor é ou não o produto de uma tolice continuada? Heloísa naquele tempo me disse algo mais.

A gente faz isto porque já se gosta, ouviu, Jurandir? Ela comentava nossos beijos acalorados, quando então me lançava os braços morna de vontade, os olhos derretidos, fundos, quase fechados. E as minhas mãos passeavam pelas suas roupas.

Eu respondia que sim e, sempre que possível, cobria minha noiva de presentinhos. Mantive o costume mesmo em tempos de muita dureza.

Na época, seu Constantino me estimava muito e me convidava para ouvir seu piano. Falava de uma parenta deles, que só conseguia escutar colando uma corneta na orelha, queria saber da história de minha vida. Perguntava demais. Ano após ano as batalhas, os cercos, os azares por que passei. Percorri tudo desde a infância até o momento em que ele me pediu que relatasse o que lembrava. Falei dos acasos desastrosos, das calamidades tanto no mar como na terra, da morte iminente a que escapei pela grossura de um cabelo, eu na brecha mortífera, de ter sido prisioneiro de inimigos arrogantes e vendido como escravo, do meu resgate e do modo como me conduzi. E relatando a história das minhas viagens, falei de antros profundos, desertos áridos, ravinas rasgadas, rochedos e montanhas cujos píncaros tocavam o céu. Tudo isso relatei. Disse também dos canibais que se devoram uns aos outros, dos antropófagos e dos homens cujas cabeças crescem embaixo dos sovacos. E, ouvindo essas noções, Heloísa se mostrava interessada e, quando os serviços da casa chamavam por ela, prontamente arrumava tudo apenas para regressar com os ouvidos ainda mais atentos, devorando os casos sucedidos comigo.

Notando isso, aproveitei uma hora propícia e achei meio de atender a um pedido seu. Que lhe contasse das minhas caminhadas pelo sertão, de que ela pouco tinha ouvido, apenas parcelas. Consenti e muitas vezes lhe arrancava lágrimas quando referia alguma catástrofe que tivesse me machucado. Terminada minha história, ela me retribuía o trabalho com suspiros e jurava que tudo aquilo era extraordinário, mais que extraordinário, muito comovedor. Queria não ter ouvido, mas também queria que Deus tivesse dado a ela os dons desse rapaz, tal e qual era eu. Agradeceu e pediu que, se eu tivesse um amigo que gostasse dela, ensinasse este moço a contar minhas histórias, e apenas isso bastaria. Ouvindo essas instruções, concluí que ela me amava pelos perigos que contei, enquanto eu idolatrava minha amiga pela pena que ela sentia de mim.


De verdade, quando repetia essas histórias, Heloísa e seu Constantino me ouviam rindo muito, achando graça na fantasia tão rica, reconhecendo aí os lances fatais dos filmes que eu, rapazola, tanto me dedicava a acompanhar, rever, memorizar na saleta do Cine Diamante. Saía com os olhos cheios dessa companhia tirada das telas em tardes e noites gastas dentro da saleta de projeção, vibrando com a sorte dos heróis de seriado mudo, com a majestade das primeiras fitas a cor, com o sentido que suas vidas, lançadas na peça daquele pano, tinham para mim e para os tantos outros que, como eu, também precisavam de uma injeção de capa e espada a fim de destronar o marasmo da vida comum, em cidade pequena, sem futuro nem pressa nem, menos ainda, qualquer dose de sal.

    Penso que lhe copiei isso tudo ou algo parecido ainda na época em que não sabia se eu ficaria ali, nós dois juntos, ou não. Se ela iria, ou quando voltava da capital. E minha confissão nos estreitou ainda mais quando ficou claro que eu não poderia seguir adiante nos estudos. Neste ponto, Heloísa foi mais longe que eu. Então parei de mandar cartões quando ela começou a me escrever longas cartas do Recife. E nós nos beijamos num sábado, véspera de Páscoa, atrás da caixa d'água na vila do clube, antes de uma daquelas viagens dela, de volta aos cursos de preparo para a faculdade na capital. Beijei Heloísa sem lhe palpar a figura. E o beijo me saiu assim porque, desde o primeiro minuto, tive a impressão de que tudo aquilo era sério, de que tudo aquilo duraria o tempo inteiro do mundo e ainda mais um pouco.

Não tive um pai, como Heloísa teve. Meu filho praticamente também não teve um pai assim. Tivemos bons amigos, os dois. Eu, porque contei com o meu sogro, que me fez companhia e as correções necessárias à minha formação. E meu filho, porque teve em mim e nos amigos, sendo que em mim ainda mais que neles, alguém que lhe esclarecesse um caminho a seguir, o certo na vida. Cada um escolhe o que quer ouvir. Escolhe como ir adiante sem machucar os demais. O que hoje sei é que um pai mede mil vezes o peso da mão contra um filho. Pensava eu nisto, enquanto ia adiante guiando até o Recife.

Em certo momento, acordei para o caminho. Passei pelos portões do motel Blue Love e procurei ver. Tinha um carro esperando para entrar. A moça ia com a mão na nuca do rapaz. Ele dirigia sorrindo, os dois dentro de um sedã pequeno.

Logo depois reduzi a velocidade quando vi o luminoso de um posto de gasolina novo, com a pintura berrante. Dei sinal e tomei à direita, pela via de acesso às bombas. Conferi o hodômetro e o marcador de combustível. Tinham me deixado a perua com pouco mais de meio tanque. Realmente, não lembrava como a viagem até aquele ponto, passado o Blue Love, pudesse ser tão desolada, com os acostamentos cobertos de capim e colinas de plantação cortadas ao meio, mostrando paredões de barro liso, vermelho, com meninos jogando futebol em campinhos cheios de poças. E os cachorros abrindo a boca, fazendo de plateia.

Então entrei no posto novo, que eu ainda não conhecia. Estacionei a perua e fui comer num lugar que estava vazio, exceto por um casal de velhos e dois motoristas de caminhão diante dos seus pratos de macaxeira com ovos. Pedi meio galeto assado com feijão-verde.

Quando já tinha acabado de comer, uma moça cinquentona, que era gente dali, passou pela mesa com uma toalha no ombro. Viu que eu estava sentado, com o prato vazio, olhando para ela, e não parou. Fiz sinal com a mão e chamei assoviando de um jeito que não gosto de fazer. Ela finalmente se virou para mim. Pedi a conta balançando os dedos como se rabiscasse na palma da mão. Por um momento essa mulher ficou parada, me olhando. Pensei que talvez tivesse me reconhecido de algum lugar, de outra época, ou então estivesse pensando no que era que eu queria dizer com aquele gesto.

Me veja a conta, por favor, falei mais alto.

A mulher veio andando e parou na minha frente. Não sou garçonete, ela disse. Trabalho na copa. Mas o senhor quer a conta?

É, falei que sim. A conta e uma Coca para eu levar com o casco.

O senhor vai pagar o casco?

Vou, eu disse.

Por que não leva num copo, sem precisar pagar o casco?

Fiz que não. Queria aquilo do jeito como tinha pedido.

Daí a pouco a mulher voltou com uma garrafa molhada, gasta, sem a tinta da marca e com ferrugem na tampa. Preferi não dizer nada. Paguei a conta e, quando ela entrou, passei um guardanapo no refrigerante antes de ir embora.

Saí para apanhar o carro, que tinha deixado embaixo de uma árvore, mas a sombra já ia longe. O assento estava pegando fogo. Agora eu seguia com o sol forte. Dali a vinte minutos, estaria na perimetral que leva ao centro do Recife. E a chevrolet afinal não precisava de mais do que esse meio tanque para ir até lá. Mesmo assim, puxei o carro para perto das bombas. Estacionei novamente, tirei dali a minha bolsa e coloquei dentro dela as pastas com os documentos do caso do rapaz queimado. Também juntei o desenho que Minie me fez, do menino colorido com seu balão. Ao lado desse garoto agora estava o pedaço da minha foto, o meu rosto pequenininho, a parte que cortei e na qual eu aparecia do peito para cima, por trás da cama do menino. Conferi o que Heloísa tinha arrumado para mim e novamente fechei a bolsa.

De pé, ao lado do carro, destampei a Coca com um abridor de garrafa preso por um barbante no lacre das bombas.

Um bombeiro chegou querendo saber o que era que eu queria. Olhei para ele. Era um velho de macacão azul, o rosto muito queimado de sol.

O senhor vai completar?

Hoje não, respondi. Dei um gole e emborquei a garrafa. O líquido escorreu espumando no chão, indo formar uma poça clara que mudava de cor silvando entre os meus pés. Vendo isso, o velho do posto começou a rir, me mostrando a sua boca farta de língua, rosada, quase sem dentes.

Até hoje Minie só me pediu ajuda uma vez, que lhe comprasse um perfume estrangeiro. Quando ouvi essa solicitação cheia de cerimônia, há uns três anos, sorri e disse que claro que sim, que entre amigos não tinha isso de esconder os sentimentos sobre aquilo que queremos e o que gostaríamos que acontecesse. Tínhamos passado um dia inteiro juntos. Revejo agora seu rosto de menina séria, um pouco envergonhada pelo favor que me pedia à mesa, enquanto brincávamos de soda.

Jurandir, na boca não, ela disse. Depois passou o colar de contas de dentro do copo de Coca para o covo da minha mão.

Lembro que afastei os pratos da nossa frente, suspendi um fio de bolhas de vidro por cima de seu braço e ela riu, tinha horror àquele friozinho. Na época, um colega do verdão me jurou que Minie era basicamente uma infiel. Pensava nisto, enquanto ela espalhava as gotas douradas no braço. Então rasguei uma tirinha de guardanapo e coloquei ali em cima, fingindo estancar aquela ferida de soda.

Se a gente se encontrasse no Rio. Você sem ninguém. Eu sem ninguém. Como que era?

Ela fez que não. Olhou para mim e eu sorri para ela. Avancei o rosto para me despedir e entrei no bojo doce daquele perfume. Alonguei meu beijo na bochecha e, esperando pelo segundo, virei a boca o mais que pude, a ver se ela virava também. Minie deu um muxoxo e riu me dispensando a graça.

Mas o favor, o presente, a dádiva têm sempre muitas raízes e continuações. Pois afinal, quando ela deixou, e aquilo tudo começou mesmo pelo caminho das mãos, meu susto foi querermos brincar como a princípio. Aquele suspiro que Minie tinha dado, quando salpiquei seu braço, me entregou o ouro.

Tempos depois, nós dois já dentro de um quarto, ela tirou a roupa e, deitada com uma garrafa na mão, me olhou sem piscar.

Vai, me vira, ela disse.

Agitei a sanha morna do gás. Ninguém nunca viu aqueles dentes de moça como eu vi. Abri a tampinha parado no seu rosto de santa. Mirei no umbigo e emborquei a garrafa.

Quieta, falei.

Então se deu a mágica. A borbulha da soda lhe cobriu a coisinha. Minie ria abafando a espuma entre as pernas e, de repente, ficou doce e senhora. Riu de novo e me disse aquilo que não me sai mais da cabeça.

Viu, Jurandir? Fiquei loura.

Passei uma noite bonita com Minie, com o céu limpo e uma brisa mais fresca, nós dois observando o movimento pelo janelão de vidro aberto por cima do luminoso do Ferrabrás, que jogava sombras verdes e vermelhas na parede da salinha.

Contei a ela que, naquela época, bem antes, no Recife, às vezes passava horas com Marco Moreno buscando os faróis mais interessantes, esquecendo um pouco das preocupações minhas e dele. Fazia gosto na paisagem da cidade, no telhame recortado dos sobrados à beira do rio, os sobrados às vezes com três, quatro ou cinco andares, todos de um século ou mais.

Verdade que o Recife não deixava a desejar em nada ao Rio, meu amigo tinha me dito. E que havia muita graça em se tentar imaginar quantas vidas cada luz daquelas cobria. O povo dirigindo para lá e para cá do serviço, ou então a caminho de fazer alguma coisa fora, indo a um restaurante, ao cinema. Tudo debaixo daquela penumbra estranha e bonita, colorida, com gente se gostando às escuras, enquanto o cais e os postes davam uma mostra de grandeza para quem quisesse parar um pouco e olhar o facho dos carros ou a iluminação pública refletida por cima da massa escura do rio.

O Recife ainda devia ser isso mesmo, o rio esticando a imagem de tudo que vinha se debruçar à beira dele, rumo ao porto, onde o mar finalmente ia se encontrar com o Capibaribe. Esse rio, Marco disse, já animou muitos amantes.

\* \* \*

Há um tipo de desespero que acaba sempre com o homem nu e desamparado, sorvendo a fúria que ele próprio desencadeou. O velho da bomba de gasolina continuou me olhando, sorrindo com sua boca mole e triste. A Coca borbulhava assoviando no chão entre os meus pés. Um cheiro de xarope vinha dali. O velho balançou a cabeça, querendo dizer que aquilo era mesmo uma porcaria. Não respondi. Pedi outra coisa.

  É só um pouco, eu disse, e apontei a garrafa. Quero completar isto aqui.

  O casco?

  Exatamente, falei. Quanto é?

  Não tem nem como medir, ele disse. Me dê, e se virou para a bomba, puxou a mangueira, rindo de novo. Isso não dá nem um cruzeiro, meu patrão.


Parei a perua branca mais afastada da estrada, no ponto onde ela começava a descer em direção à cidade. À minha direita, pela escarpa, eram pedras e tocos de pau antes de o terreno aplanar e tomar a forma de um longo partido de cana seca, montes de bagaço e, entre eles, umas poucas arvorezinhas rotas. Fiquei olhando a paisagem marcada pela queimada da entressafra, ali já tão perto da capital.

  Tirei a bolsa do carro e, de dentro dela, um lenço de pano. A tarde estava mais fresca no alto da colina. Penso nisto agora como também, naquele momento, pensava no quanto havia me afastado dos planos que fiz na juventude. Foi um grande desvio que me levou até esse ponto. E o que aconteceu depois é difícil de relatar numa linguagem mais ordenada. Espero que me entendam.

  Fiz uma trouxinha com meu lenço, torcendo o pano até que ele entrasse pelo gargalo do casco da Coca.

Tirei o revólver de dentro do porta-luvas e coloquei a peça de volta na bolsa. A perua estava em ponto morto, virada para o declive. Olhei em redor e não vi sinal de ninguém. Liguei o motor e ele respondeu na hora. Fechei os vidros, soltei o freio de mão e saí do carro com a bolsa a tiracolo. Acendi o pano embebido em gasolina e a garrafa ardeu. Deitei essa dose no painel, bati a porta e fui para trás, empurrar. A chevrolet começou a se mover estalando as pedrinhas de areia embaixo dos pneus, palmo a palmo ganhando força em direção à boca da colina. Ia baixando tão devagar que imaginei o ridículo daquele fiasco provável. A perua parada lá embaixo com a garrafa extinta pelo embalo da descida. Porém, adiante o carro ganhou velocidade saltitando as grotas, fazendo as rodas pularem alto e uma coluna de pó subir por trás do porta-malas, morro ao céu. De longe, o logotipo da empresa não se via mais, nem o ronco dos pneus cavando caminho entre as pedras calcinadas pela operação com a cana.

 Então o carro deu aquele azar que nos toca quando de fato é chegada a hora do fim. Bateu num monte de bagaço e levantou as rodas do lado direito. Por um momento pensei que fosse voltar a correr nos quatro pneus, mas não. Foi virando. Mostrou o escape e os eixos para o alto, deu com o capô nas pedras e balançou deitado na capota, fazendo gangorra. A garrafa de Coca estourou ali dentro e começou a largar uma fumaça escura, que ia se espalhando, subindo do estofamento, derretendo o painel e o forro das portas. Agora o ardor tinha pegado firme. Ouvi o estampido dos vidros enquanto as labaredas formavam uma coluna retorcida, como um besouro emborcado que, na agonia de não poder ficar de pé, reclamasse exalando naquele fumo o espírito de toda sua amargura.

 Dei as costas para o vale e tomei a estrada com a bolsa pendurada no ombro. Caminhava devagar. Devo ter andado pouco mais de meio quilômetro, baixando a rodovia rumo à capital. Com o dia mais quente, me postei no acostamento mostrando uma mão para fora, acenando com um polegar para cima, a outra aparando o rosto do sol. Fiquei um tempo vendo os carros e os caminhões que passavam. Quando alguém parasse, se parassem para mim, eu seguiria adiante. Talvez viesse um ônibus ou um carro de aluguel e assim eu continuava minha viagem. Vinte minutos mais, daria onde realmente precisava estar, e chegaria sozinho, sem contar com nada nem ninguém. Apenas com o desenho colorido de Minie e a foto do rapaz queimado, a ver o que se podia fazer pelos outros e também por mim mesmo. Mas ia só, no meu ritmo. Do único jeito que era para eu ter deixado a comodidade de casa.

# Segundo caderno

*O horror, o horror!*
UM RENEGADO

Cheguei a Belavista num momento que me pareceu de grande confusão. Um homem grisalho, de bata branca, puxava uma senhora pelo braço enquanto dizia em voz alta que todos ali entrassem naquele mesmo instante, e fossem logo, pois já era hora do trabalho manual. Quatro ou cinco pessoas que estavam sentadas do lado de fora, ouvindo rádio, após esse chamado murmuraram reclamando. Como a mulher não se acalmava, o velho largou de seu braço e se postou ali ao lado, apontando em direção ao carro que tinha acabado de chegar comigo dentro.

O oficial que me conduziu até ali não pôde deixar de comentar a cena. Meu caro, ele disse. Você mal chegou e já é famoso.

Virei o rosto para não parecer que prestava atenção àquilo. O fato de ter sido notado antes mesmo de saltar me causou grande impressão, ainda mais quando me dei conta de que a mulher mudava radicalmente de atitude diante da minha chegada. E isso, por quê?

Quanto ao grisalho, alguém que tratasse uma senhora daquele modo certamente faria pior com um inválido ou uma criança.

A rua estava movimentada, com pessoas passando motorizadas e a pé, outras sentadas na beira da calçada ou no parapeito das casas. Desci e tomei distância do agente que estava com a minha bolsa e os meus pertences. Fiquei imaginando quando iria reaver o que era meu. Olhei fixamente para o velho e também para a mulher, ali em frente, os dois parados na fachada do casarão. Eles me olharam do mesmo modo, nós três calados, as caras fechadas.

 Meu acompanhante, tendo acabado de fazer suas diligências com o motorista, se deu conta do intervalo em que permaneci desassistido, sozinho, olhando aqueles dois do outro lado da rua, e se voltou para mim surpreso. Parecia não acreditar que eu tivesse desperdiçado a oportunidade de largar dali e sair correndo, como se eu realmente pudesse dar pernadas por essas ladeiras que são feitas de pedra. Então ri para ele e ele riu para mim. Logo em seguida entramos todos em Belavista.

Revendo esses primeiros dias, tenho a impressão de que meu mundo quase se desfez em pedaços impossíveis de serem remanejados. A vida dá voltas preciosas. Um tempo depois da minha chegada, quando tivemos nossa primeira conversa, madame Góes quis saber que impressão ela havia me causado naquele momento de tanta confusão.
 Devo ter parecido monstruosa, Jurandir. Não foi?
 De jeito nenhum, falei.
 Vá. Pode dizer.
 Acho que não. A senhora estava defendendo seus direitos. Isso é ótimo.
 O Ramires é meio bruto. Você aprenda, ela falou.
 Como assim?
 Nada não, esqueça.
 Como assim? Me diga, insisti.
 Só estou falando, ela disse, e não quis continuar. Então este foi o ponto em que encerramos nossa primeira troca de impressões.

Tínhamos ficado um tempo ali fora, na mesma calçada por onde primeiro entrei na clínica, esclarecendo as perguntas um do outro e querendo descobrir algum elo em comum, algum problema, pessoa ou lugar que pudéssemos dizer que conhecíamos ou que sabíamos como era ter passado por aquilo. Essa tendência de buscar coincidências de gosto e daí tirar um fio para mais, o começo de um contato continuado, ela me disse, isto é que é o verdadeiro sentido de uma vida sadia. Ouvindo essa opinião achei graça, mas madame Góes não se importou. De vez em quando ela olhava de lado, dando a impressão de que a qualquer momento alguém iria colocar a cabeça para fora, pelas janelas da frente, querendo ouvir essas bobagens. O fato é que ninguém apareceu. Então, no remate da ocasião, com o sol já baixo, ela quis dar um fecho àquela variedade de assuntos de que tínhamos tratado e, nisto, chegou com a mão no meu ombro. Falou que eu ficasse tranquilo.

Jurandir, maturidade nenhuma chega com o avanço da idade.

Achei o comentário dispensável. Fiz um gesto com a mão, dando a entender, e ficamos ali um tempo. Logo depois o enfermeiro Ramires veio nos buscar.

Imagino que, quando jovem, madame Góes deva ter cultivado uma basta cabeleira negra. Agora ela costuma usar o cabelo escovado e solto. As mechas em volta do rosto redondo causam uma impressão de grande volume, o que ela completa com roupas frouxas, bem coloridas. Acho que a idade lhe dá licença para certas extravagâncias. Notei que grande parte da simpatia que ela inspira vem, por outro lado, de seu jeito de matrona. O modo como ela bate à porta, por exemplo, com várias pancadas, é exagerado. Mas afinal, quando lhe dão passagem, lá vem madame Góes se desfazendo em agrados e atenções. Um dia desses, vindo me buscar para o café, ela voltou a insistir no que várias pessoas já me disseram. Que não tenho do que me queixar, que tive sorte, pois chegando durante o período das festas não precisei me ajustar à mesmice de cada semana, ao costume que acaba esfalfando, igualmente, jovens e velhos.

Além disso, Jurandir, as entrevistas com doutor Ênio pararam, ela disse. O fato é que você começou bem. Sem rotina nem nada. Começou foi na folga.

Lembro perfeitamente desse comentário, apesar do deus nos acuda que foi aquela primeira semana. O acompanhante que me tirou do carro oficial, firme, pelo braço, provou ser um piadista. Às vezes penso no que foi feito dele. Assim que passamos para dentro, sem que eu tivesse perguntado nada, ele comentou o aspecto da clínica. Essa casa tem para mais de duzentos anos, ele disse. Mas isto eu próprio já tinha notado. Logo em seguida acabei precisando do remédio e, então, veio o resto do tumulto.

A verdade é que aqueles primeiros dois meses agora me parecem bem mais longos do que o tempo normal de apenas dois meses. Precisei ficar trancado, no quarto, com a vista macabra do topo dos telhados, a cama baixa feita de ferro, o lençol de chita e o travesseiro com bolotas de espuma em cima de um colchão de molas, de onde só conseguia ver, de pé, a imagem do porto chegando pelo rasgo do basculante. Ou seja, nas palavras do próprio Ramires, precisei de um choque para me convencer de que afinal este era mesmo o lugar onde começaria, para mim, uma longa jornada.

Estava prestes a viajar e um rapaz, que eu costumava apelidar de Pulga, queria falar comigo. Tentei dar todas as desculpas para não falar com ele, porém o Pulga insistia tanto que tive de marcar um encontro antes da minha partida. Ele é dos tais que não deixa ninguém sossegado.

  Então a cena muda e eu estava numa praia, não lembro qual. Na colina junto à praia tinha um único prédio de apartamentos, muito isolado, e a garagem ficava no rés do chão, bem perto da areia. Estava olhando três carros estacionados no pilotis, quando o mar se agitou e as ondas foram até o piso da garagem, cobrindo o concreto com espuma e sargaço. Achei aquilo bonito, o mar estava revoltado. A água subia na colina e recuei um pouco. Ventava muito e não conseguia acender meu cigarro. Tinha uma pessoa comigo e disse a ela que era pena que a maresia fosse estragar aqueles carros, que custavam dinheiro. A pessoa, que eu pensava não conhecer, respondeu que o edifício tinha sido construído próximo demais ao mar e que todo mundo sabe que o mar sempre avança. Dei razão a isso e, quando me virei para meu companheiro, tive um susto. Era de novo o Pulga. Este rapaz foi sempre um boa-vida. Na verdade, ali eu era seu melhor amigo. Pulga era casado com uma moça bonita e muito boa pessoa. Começamos a conversar sobre o amor que ele sentia por ela, mas eu não acreditava que ele merecesse essa mulher.

  A cena muda novamente e agora estava num colégio de moças. Ali iam também Heloísa e uma amiga dela, de quem não me lembro o nome. Eu brincava com elas. Numa parte do sonho, as duas estavam no dentista e eu fazia graças para distrair do tratamento. Depois, no refeitório do colégio, convidei a amiga de Heloísa para ir comer fora. Saímos e, passado um tempo, veio a minha esposa com vários pacotes pelo restaurante adentro. Fui falar com ela e lhe perguntei se ela tinha ido às compras sozinha, sem me avisar. Ela respondeu que sim, pois agora a coisa era outra e não se sujeitava mais à prisão de antes.

Notei que seu rosto estava cheio de espinhas e comentei o fato, o que não agradou muito. Ela revidou me chamando de ignorante. Fomos dali a uma loja de vestidos. Na loja estavam várias pessoas conhecidas de Heloísa, mulheres e homens. Ela ia para a frente de um espelho e provava por cima da roupa um vestido de pano transparente e vermelho. Era um vestido bastante decotado e na gola tinha uma pele de bicho. O que quero dizer é que era muito extravagante e, provavelmente, caro. Fiquei olhando Heloísa comentar aquela peça de roupa esquisita, porém não disse nada.

O susto de madame Góes, quando entrou e viu doutor Ênio sentado no canapé de palhinha, os olhos fixos na faixa pintada embaixo da janela, Bem-Vindos a Belavista, foi, vendo nosso médico assim, ela pensar imediatamente no pior. Que o mal da mente vaga tinha voltado e agora ele iria fazer o possível para convencer os vizinhos a abrirem as portas aos turistas e a quem mais quisesse visitar, durante a Quaresma, o casario que vai da ribeira até a clínica, justamente no trecho onde doutor Ênio queria encenar a morte do místico Lantânio.

E ele, rijo no sofazinho de baixo, encastelado na saleta, gozando o perdão do fim de semana, parecia tão distante, madame Góes disse, com os olhos parados no vidro alto e a boca aberta, que ela precisou chamar duas ou três vezes, doutor Ênio, ei, doutor Ênio, até que o médico finalmente se virou para a porta e deu com ela de pé, as sacolas balançando nas mãos, as compras murchando e degelando nas bolsas de feira, tudo escolhido e comprado como um favor que madame Góes prestava à equipe da cozinha, que às vezes se atrasa e pede a quem quer que seja o obséquio de ir até o mercado ou a venda apanhar o que falta para fechar o dia recheando as barrigas dos tantos loucos que há neste mundo, que são muitos e de várias qualidades. Ou pelo menos é isso que comentam brincando.

Então madame Góes, que não se importava em descer, e parece mesmo que não se importa, fez o tal favor, que todos aqui somos irmãos unidos na busca de uma vida livre das amarras do corpo físico e psíquico, ela costuma dizer, e a situação pedia corações abertos, pois quem havia de ser ela para negar um pulo no comércio e colaborar na tarefa, ainda mais agora que a clínica acaba de crescer?

Relembrada desse encargo, que ninguém mais se dispunha a fazer pelo resto o que ela, sim, faria, madame Góes disse que repetiu, de novo, ei, doutor Ênio, agora mais alto enquanto continuava de pé, imóvel com as compras na soleira da porta. Chamou quase lhe gritando os nomes todos. Ouviu a própria voz por trás do volume do rádio, no instante em que a transmissão da partida deu uma pausa e dois silvos longos calaram o locutor e as multidões, e seu chamado soou nu, vacilante, ela admirada com aquilo, o susto que o calibre da voz tinha lhe dado. Como se o nome do médico trouxesse de volta a consciência de um tempo em que ela dava e também levava berros. Mas isso há anos. Um tempo que já deveria estar morto e enterrado. E no eco dessa pausa, madame Góes falou, ela quase pôde ver doutor Ênio se voltando como uma mãe furiosa para lhe responder ao berro, ou então o seu finado marido falando ainda mais alto, não grite comigo, sua vagabunda, está me ouvindo? Porém, doutor Ênio continuava calado, a boca entreaberta, ele dormitando com os olhos entupidos pela modorra da tardinha.

Semanas atrás tinham lhe dito, a ela e também a outros ali presentes, que a última ação movida contra Belavista, a mais longa de todas, iria sair caro.

Vai nos custar os olhos da cara, Jurandir. Você nem imagina, ela disse.

Então, os planos que doutor Ênio tinha feito para tirar o forro do teto alto e refazer a fachada original, sem os leques de palma e as conchas brancas com espirais, sem a Diana no beiral e os adereços que escondiam, foi o que ele tinha dito, a moldura da janela colonial, em pedra calcária, enfim, a tal reforma que daria cabo deste bolo confeitado agora seria uma extravagância. Era, aliás, uma impossibilidade já confirmada em cartório. Na semana da sentença, doutor Ênio vendeu a kombi a fim de pagar as custas do processo. E a Sociedade Espírita, o litigante maior, só não alcançou vitória completa porque um juiz conhecido trocou parte da indenização por serviços à comunidade, fazendo Belavista voltar à prestação de benefícios públicos, mas em regime de ofício sem féria. A clínica ia servir às associações de bairro, grupos escolares e sedes comunitárias na parte alta da cidade. Belavista, navio de doidos. Esta era que tinha sido a pichação em tinta verde, no muro dos fundos, deixada ali meses antes e recentemente invocada pelo defensor dos espíritas. A casa agora se rebaixava para servir aos irmãos das almas.

Madame Góes contou que doutor Ênio ouviu o remate do fórum sorrindo largamente. Foi o que garantiram a ela os poucos que viram o médico no dia em que o oficial de justiça veio com a carta. Um grande psiquiatra melando com mãos de manteiga e pão assado a sentença da vara. Aquele enorme desdém dele e, apesar disso, sua obediência a uma lei comprovadamente parcial. A interpretação dessa lei havia resultado num erro crasso. Ou não? Era o que ela própria queria comentar, e discretamente tinha lhe perguntado a opinião, mas doutor Ênio se virou sem resposta.

Já chegou?

Trouxe o que me pediram, ela disse que respondeu.

Vá, venha. Entre, ele falou.

Então madame Góes entrou com as compras balançando nas mãos.

Do quarto, notei que o futebol no rádio já tinha voltado àquele ruído livre. E quem era que iria imaginar doutor Ênio fazendo questão das partidas na rádio Clube? Raramente alguém via nosso médico assim, sem suas papeletas e os prontuários à mão, sem estar falando aos pacientes e enfermeiros, aos curiosos que apareciam em Belavista e ficavam sondando os costumes da clínica, o dia a dia regido por ele como um maestro rege a sua orquestra, como uma corda espiralada faz o relógio mover os ponteiros e marcar frações bem divididas. Pois, madame Góes vive repetindo o consenso reinante por cá. Quem nos dera ser como esse homem, o grande mentor que fez da clínica uma boia para aqueles espíritos carentes de um equilíbrio mais fino e que, uma vez admitidos, iam reatar o senso perfeito das suas faculdades, a consciência de estar no mundo e de ser este mundo, ele próprio, a extensão de outros com os quais há de se debater e, no fim, aceitar.

E, bem a propósito disso, há mais cem anos uma das funções da primeira casa episcopal, esta casa, vejam bem, a nossa casa, doutor Ênio tinha falado, que ele próprio foi o único a defender, era justamente a de dar abrigo ao guarda-livros da municipalidade. Isso após ter sido, ele insistiu na ceia, casa episcopal. A antiga Belavista. Não era irônico que agora o sobrado voltasse a prestar auxílio à saúde mental da população em redor? Ah, era. E quem entrasse carregada de compras, como madame Góes vinha, com algo a oferecer ou trazendo suas dúvidas, e com isto também tendo o que vir buscar, então que ela receba um cuidado rigoroso, conforme os padrões mais modernos. Mesmo assim, madame Góes tinha dito, mesmo considerando o lado positivo do litígio, que foi dotar Belavista novamente de uma missão coletiva, aquela outra metade do montante da ação, a que era devida aos kardecistas por conta da parede que tiveram escavada, tal parte deveria ser paga em dinheiro. Este é que foi o castigo maior, porque com isso nos cortaram as asas. Uma vez quitada a quantia, que nem era tanta, ela ia ser convertida pelo juiz num fundo de proteção das fachadas. A soma vai cobrir a lavagem dos muros após a pichação que vem com a balbúrdia do carnaval.

Resulta que doutor Ênio foi tolhido e se amofinou sem condições de devolver ao edifício sua feição antiga e abrir no pátio de trás um vão com toldo maior, para o trabalho artístico, que todos queriam tanto. E o pior, não havia mais a kombi para as excursões em grupo nem para se ir às compras. Fomos aqui o objeto de um conluio entre vizinhos, ela repetia aos que vinham chegando daqui e dali, pouco a pouco, aos montes. Contava tudo às novíssimas almas-grátis, os que ora traziam consigo uma pecha de origem e eram, em sua maioria, de fora, de muito além da cidade baixa. Chegavam do interior para ganhar essa marca, um selo inventado pelo enfermeiro Ramires, por pertencerem à cota imposta pelo juiz amigo.

Eram pequenos bandos de dois ou três ou quatro vindos de Gravatá, de Brejo da Madre de Deus, de Casuarinas, de tantas outras cidadezinhas de que nunca se ouviu falar, ou de que só tinham tido notícia como sendo lugares atrasados, hoje vilas de veraneio, antigos polos de produção de grãos, de cana, de comércio têxtil. E as tais almas-grátis vinham aos poucos chegando acompanhadas de um agente de saúde ou de um policial à paisana, sem mala nem papeleta ou qualquer outra coisa que pudesse dar conta do caso do recém-admitido. Então, quem ia saber qual era o seu mal?

Madame Góes contou que, a princípio, doutor Ênio colocava todos nos quartos de baixo e ia visitando os grupos no curso das semanas em que a clínica precisou interromper a rotina das entrevistas diárias, com cada qual separadamente, os pagantes nos seus próprios quartos ou no escritório dele. A rotina tinha sido completamente mudada. E logo a de quem? A de doutor Ênio, que com a paciência perdida, acabou delegando aos enfermeiros a triagem das almas-grátis, encaminhando os novatos a leitos duplos ou triplos, fornidos com beliches, de acordo com o tratamento necessário a cada grupo. Essa ajuda que vamos prestar a todos eles será uma prova, doutor Ênio disse, em outra ceia, madame Góes lembrou, será parte da sua própria reabilitação, a de cada um de vocês agora depende disso. Assim foi que o imprevisto ficava sendo motor de um salto qualitativo. Era mesmo a promessa desse salto. O esforço da imaginação individual em prol da melhora coletiva.

    Um por todos e vamos adiante, ela repetiu certa vez, sentada à cabeceira da mesa, e nisto espalhou os braços num gesto grande.

    Essa bela máxima cunhada por alguém daqui, dos mais velhos, na tal refeição em que doutor Ênio convocou a todos, galvanizou os espíritos. Fez com que madame Góes lembrasse as histórias que tinha ouvido de seu falecido. A crônica de uma Europa destroncada pela guerra e as pessoas precisando contar umas com as outras. Os filmes de que ela tanto gostava sobre gente dividindo porões e sótãos com os ratos, alguém deixando um pão embrulhado numa toalhinha dentro de uma loca tapada por um tijolo frouxo, o único pão do dia, que salvava o inocente da morte certa. E madame Góes de vez em quando também nos lembrava disso, de ser pior na guerra, quando se morre e a ninguém cabe o abrigo de uma sepultura própria, porque em matéria de sofrimento tudo era uma questão de memória e sempre, sempre e principalmente, da pura e simples comparação.

Pois, furiosa e com isso na cabeça, madame Góes devolveu o troco das compras a doutor Ênio e foi em direção à cozinha. O que ela própria depois me disse foi que ele não lhe respondeu a pergunta sobre a injustiça da sentença de meses atrás. Não comentava opiniões. Era domingo e ele não estava ali para conversar. Queria acompanhar a partida, ficar quieto, e era justo. O futebol não era importante, o importante era doutor Ênio descansar e se esquecer do fato, deixar de pensar no fórum e se concentrar nas tarefas com as novas almas-grátis, no que fazer delas.

Foi quando ouvi madame Góes deixar a cozinha batendo gavetas e a porta da despensa, e subir até os quartos do primeiro andar. Vinha pisando nos pranchões de madeira, lembrada primeiro, tenho certeza, das bombas caindo sobre populações inteiras durante a última grande guerra, dos muitos que, em consequência disso, eram forçados a se mudarem para abrigos, igrejas e prédios públicos, convivendo com estranhos, trazendo da vida de antes uma única malinha de roupas e às vezes nem isso, trazendo é nada. Só mesmo a roupa do corpo. Também pensando, isso ela própria me disse, no que seria feito das reuniões coletivas, da comissão que já tinha sido organizada para a semana de arte em Belavista, logo após o carnaval. A tal peça que doutor Ênio queria montar na calçada da clínica. Agora o que era que ele iria fazer com tanta gente? A maioria não estava preparada para entender aquilo, a morte de Lantânio. Expressar essa angústia na frente dos colegas, dos novatos e dos enfermeiros, gente estranha, era muito difícil. Era dificílimo. Iam saber fazer isso? As almas-grátis obviamente não tinham a menor condição.

\* \* \*

Assolada pelo fracasso de uma ideia que já havia agradado a tanta gente, madame Góes se enfiou pelo corredor do primeiro andar. Ouvi as passadas dela, enquanto pensava no que os outros faziam àquela hora, que eu só conseguia perceber, além do jogo, o ruído de outro rádio transmitindo canções de salão, pedras de dominó de vez em quando batendo no tampo de uma mesa de canto, aqui e acolá o ronco dos mais lentos zunindo junto com os ventiladores de teto. E o que mais podia se esperar de uma hora dessas? Descansar era uma bênção. Domingo é para isso. Então, bom proveito. E, no entanto, lá vinha madame Góes com os pranchões rangendo embaixo das suas sapatilhas de brim.

Podia até ser que alguém abrisse uma porta para vir lhe dizer qualquer coisa, ouvindo esse cicio de velha. Saber por que tanto movimento logo hoje, se era para descermos ou não. Daí ela iria perguntar, com certeza, rindo, sem constrangimento nenhum, por que é que vocês não foram comigo me ajudar nas compras? Não teríamos resposta, pois, segundo ela, a verdade é que ninguém largava da folga. Ela, sim, largaria porque já estava acostumada. Não lhe fazia mal. Era uma distração útil e, com certeza, já tinha sido notada por doutor Ênio, que deve ter percebido o que madame Góes nunca iria lhe dizer da própria boca. Que podia sempre contar com ela, sempre. Que ela não era como o Ramires, escondido pelos cantos para não dar um passo à frente sem antes parar na cozinha e apanhar um copo de refresco ou um cafezinho. Ele, que só fazia o mínimo e era até pago para isso. Ela não, ela vinha adiante com as mãos nos bolsos da saia costurados com linha cobalto quase da mesma cor do tecido. Aquela linha que dava a esses bolsos um contorno mínimo, a forma deles de longe se destacando do bojo do pano, o que antes incomodava tanto e, agora, madame Góes comentava, quando ela se via de cima a baixo, diante do espelho, no quarto, ficou bem. Um desgosto que a falta da linha na cor certa lhe causou de início, e atualmente isso já tinha se transformado num quê a mais, numa escolha notada por gente dali e de fora. Era apenas um estilo com o qual ninguém ainda estava acostumado. Neste ponto, parece que madame Góes tem mais talento do que Heloísa.

Então ela parou diante do meu quarto e, com as mãos a toda vontade, bateu suas três vezes espaçando as pancadas.

Bateu mas não fui atender. E madame Góes deve ter remoído mais esta derrota de seu domingo, confirmando, com isso, o quanto ela tinha razão sobre os novatos, meu Deus. Pois Jurandir ainda está dormindo uma hora dessas. Como é que pode?

A grande surpresa dos recém-chegados era eu, isso ela própria me disse. E que, dado meu sofrimento, eu tinha o que vir fazer em Belavista. Estava longe de ser uma alma-grátis comum. Mas madame Góes insiste em que tenho um segredo esperando para se fazer notar numa conversa de botequim ou durante a ceia, com gente que também é do mesmo jeito. Daí minha ladainha ia sair de vez, num jorro monótono diante de doutor Ênio, na entrevista em que ele me aperte no ponto certo, dizendo vá, venha, diga, pode falar que estou ouvindo, Jurandir. Isso madame Góes me garantiu, que eu ia me desculpar alegando que não tinha o que fazer ali, e não tinha. Ela é que pensa que sim. Diz que eu, negando com a cabeça e com as mãos, negando com tudo, depois de um silêncio vou começar. Aí daria início a minha cura, a parte efetiva dela. E mesmo assim, ela insiste, eu ainda resisto a isso.

Você luta por uma bobagem. Todo mundo sabe, Jurandir. Perde seu tempo com o Ramires, que, passada sua fase de bicho acuado, você lá metido no seu canto, agora começaram a andar juntos tomando café, cerveja, rindo alto, e ela não entendia por quê. Não via no enfermeiro boa companhia. Via era o tratante de bata branca por esporte querendo puxar um novato para baixo. Afinal, o próprio doutor Ênio não enxergava isso?

Pois, naquele domingo, reanimada pelo absurdo de meu caso, madame Góes do lado de fora do quarto ganhou forças.

Bateu de novo e afinal fui abrir a porta. Ficamos calados um diante do outro, antes de ela começar dizendo como tinha sido aquele pedaço chato de seu fim de semana, indo fazer compras sem a ajuda de ninguém. E mesmo assim ela foi.

Você já acordou, já tinha acordado?

Continuei calado.

Fui sozinha, Jurandir. Desci sozinha para o mercadinho e você já tinha acordado. Levantou e ficou na cama. Logo hoje, às vésperas de Belavista pegar fogo. Por quê, ela perguntou, sacudindo a cabeça. E ficou olhando por cima do meu ombro, examinando as figuras na parede, o vão de reboco branco que decorei com cartões e estampas ao lado da janelinha que dava, lá adiante, para as ruas do Recife. Essas ruas que rodeiam casas, igrejas e prédios, chegam ao porto e vão desembocar, dique afora, num imenso mar de azul.


A senhora foi sozinha? Desceu sozinha para o mercado.

Fui, ela disse. E contei a doutor Ênio. Ele me perguntou, mas e Jurandir não foi com você? Falei, foi não. Doutor Ênio quis saber por que era que você não tinha ido. Sei não, eu disse. Jurandir estava muito cansado. Mas

cansado como assim, ele perguntou. É, cansado, eu disse. Jurandir só queria ficar lendo.
 A senhora falou isso?
 Falei.
 Não acredito. E doutor Ênio disse o quê?
 Madame Góes riu. Ele falou, vou ver isso com Jurandir. Depois converso com ele. Pode deixar comigo, foi o que ele disse.
 E por que é que a senhora fez isso, perguntei. Mas ela ficou olhando a capa de uma revista com a fotografia do Cristo carioca, que eu tinha em cima da cama. Então insisti de novo. Madame Góes, por que a senhora foi falar isso, se sabia que não era verdade?
 O que eu sei é que você não ia de jeito nenhum, Jurandir. Preferia ficar aí, deitado.
 Mas se eu tinha dito que não fazia questão. Que também podia ajudar. Por que não me chamou? Me diga.
 Se acalme.
 Realmente, a senhora é incrível.
 Olhe, Jurandir. Eu sou muito a favor das coisas. Acho que todo mundo merece uma segunda chance. Mas você não tem jeito. É, sim. Com a experiência que tenho, estou lhe dizendo.
 Quero saber se a senhora trata os outros da mesma forma.
 Que outros?
 Tem muita gente aqui. A senhora conhece muita gente.
 Conheço, ela disse.
 Então, pronto.
 Eu trato as pessoas do mesmo jeito. Todo mundo sabe.
 Acenei dando a entender que ela falasse mais baixo.
 Não estou gritando. Eu não grito.

Daí, sem outro jeito, lhe fiz o convite. Entre, vá. Pode entrar.

Madame Góes passou para o meu quarto e ficou calada. Depois retomou o assunto no mesmo ponto. A verdade é que vim lhe fazer um bem, Jurandir. Um bem enorme, ela disse. É isso.

Falei que não parecia de jeito nenhum. Um bem? Que bem que a senhora pode me fazer é que é um mistério para mim.

E, de fato, que bem ela podia me fazer? Fiquei pensando se madame Góes não estava se referindo a outra coisa. Não eram as compras, era algo mais sério. O que ela me cobrava, sem ter coragem de dizer, era o meu envolvimento no drama de Lantânio, que ela achava uma péssima ideia.

Fico imaginando como será que vocês pensam no fim daquele grande desatinado. Na cena da peça que doutor Ênio quer armar na calçada de Belavista. Não faz muito, o escape de um caminhão passando na rua me lembrou a saraivada das metralhadoras contra a seita do místico. Lantânio baldado no agreste, seu corpo perfurado de balas, as moscas voando por cima e fazendo um grande carnaval daquele massacre. Como seria pôr isso à vista de todos? E madame Góes, que recentemente me ouviu comentar o assunto, agora me volta dando falso testemunho, espalhando que não passo de um miserável. Ou será que a viúva ainda sente falta dos gritos de seu falecido? Talvez queira que eu vá e faça igual. Às vezes, como me disse Minie, até mesmo um tempo de muita dureza traz saudades que gostamos de ver crescer. Sei bem como é isso.

E você ainda estava dormindo, Jurandir? Que loucura, madame Góes insistiu.

Não respondi.

Então, no monólogo que tive de ouvir, ela repetiu que quando entrou na clínica doutor Ênio continuou calado um tempo, ouvindo o jogo, olhando para o vazio, e ela com as sacolas de compras nas mãos começou a lhe fazer aquela falsa denúncia da minha recusa em ajudar com o mercadinho. Isso, de meu quarto, eu não tinha escutado.

    Ao mesmo tempo, é a própria madame Góes quem resume bem o sentimento de esperança que reina por aqui. Diz que aos justos, e apenas a estes, a perseverança traz glória na certa. De minha parte, concordo com a minúcia de doutor Ênio, de ele não se deixar abater por coisa pequena e ir adiante com o mais importante, que é o destino dos recém-chegados em Belavista, a história da morte de Lantânio, o ritmo disso tudo. Tentei expressar meus sentimentos numa entrevista que tivemos na semana passada, na salinha de baixo. Mas ele se irritou com a digressão que acha que fiz, dizendo que estávamos ali para discutir o meu caso, não o dele.

    Levante da poltrona, Jurandir. Esqueça o que é meu. Vá em frente, doutor Ênio falou. Faça o que já lhe pedi.

    No momento em que ouvi isso, eu, estranhamente, apesar da reprimenda, me senti melhor. O repelão, naquele tom, nos aproximava um pouco. Achei que a partir dali teria uma boa semana. Mas a verdade é que as coisas começaram a acontecer.

No início, demorei um tempo antes de sair sozinho de Belavista. Numa dessas primeiras ocasiões, estava deitado no sofá da entrada e acabei cochilando. Fui acordado por umas meninas que pulavam casinha riscada a giz na calçada de fora e, com isso, faziam um barulho enorme. Levantei e vi que a pedra, de tanto jogada no chão, e o chão estando por ali um pouco sujo, fazia o pó subir encardindo as mãos e as roupas delas. Fiquei pela sala esperando o quanto pude, mas acabei indo até a porta perguntar se iam se demorar naquilo. Realmente no começo deixei passar, porém a má-criação só piorou. Com o sol mais baixo elas acenderam uns busca-pés, os quais serpeavam em frente e pipocavam, enxofrando o ar. Achei isso difícil de aturar. Fechei os olhos a ver se me acalmava. Respirei fundo fazendo aquela contagem que doutor Ênio tinha me recomendado. Mas, por fim, voltei à janela e dei com as meninas.

    Falei sério com a que tinha um palito chamuscado na mão, ao que as outras logo se calaram, rindo sem graça, já parecendo bem-comportadas. O efeito disso foi as três irem brincar na rua de trás.

    Voltei para o sofá, ouvindo de longe os gritos de seu rei. O trio tinha ido jogar boca de forno. A mestra distribuía as tarefas que as comparsas deviam cumprir, ou então levavam bolos nas mãos. Achava que, cedo ou tarde, uma delas viria bater por aqui, pagando uma prenda ou querendo me tirar uma graça, dada a minha reclamação. Mas nenhuma delas veio. Então fiquei um tempo escutando a bobagem daquele vozerio fininho, com elas correndo para lá e para cá, agora um pouco mais longe da clínica.

    Acendi um cigarro e achei que aquela cantoria de roda estava bem-feita, e já era uma atividade que me matava o tempo. A verdade é que barulho de criança não me incomoda, mas o de estampido com grito, isto sim. Fiquei deitado, pensando que um tempo em Belavista, com doutor Ênio me aconselhando, podia ser mesmo o que eu precisava para voltar à ativa, rever os meus, tomar cargo das situações. Sou como qualquer um de vocês. Queria muito trabalhar, tinha essa vontade, mas quem diz eu ser capaz? Estava pensando nisto, quando aos poucos a noitinha veio caindo e senti as paredes da sala, que são muito alvas, se apagando pelo torvo tristonho do lusco-fusco.

Fiz gosto em estar em Belavista, com um cigarro à mão ouvindo quem ia e quem vinha pelo rangido do piso nos quartos de cima. Notei de novo que por aqui o ar é mais salobro, e isto talvez pela maresia que vem com a brisa de fora, umedecendo e encrostando os artigos de ferro, às vezes chegando a engelhar os papéis.

De repente me dei conta de que as meninas tinham parado de fazer barulho. Concluí que podia ter sido por causa de algum vizinho chateado com a algazarra. Fiquei curioso e, não querendo mal a ninguém, fui ver o que era feito do bando.

Abri a porta e desci para a calçada. Notei no chão os riscos do jogo de amarelinha, com as casinhas de céu e inferno feitas com muita graça. Senti pena lembrando que tinha sido bruto, como não era mesmo meu jeito de falar. No caminho fiz xô para um gato cinzento lambendo uma porcaria no chão, bati com o pé e ele correu. Olhei em redor tirando a preguiça até estalar as costas e vi que era quase noitinha, pois o tom do horizonte por cima do casario já era mais para o roxo-azul.

A fiação dos postes, muito emaranhada, confundia quem quisesse puxar uma linha de energia ou separar a que ia da que vinha, sendo também que a folhagem da palmeira baixa, com sua palma muito comprida, arriscava bater no fio e com pouco mais nos deixava sem energia. Lembrei de avisar que mandassem pedir um carro da prefeitura, a ver se alguém evita o pior e aproveita para limpar a bucha seca dos ninhos no alto do poste menor, o cinzento. Aquilo, como estava, era certo de pegar fogo. Pensei em falar com alguém, mas acabei deixando para depois. Dobrei a esquina e comecei a descer a rua por trás da clínica.

O calçamento estava mais limpo pelo chuvisco da tarde. Não sei se vocês já repararam nisto, mas toda pedra quente, molhada de chuva, cheira bem e quando se olha por baixo, mais pela altura dela, sobe dali um vapor fumegando rente ao chão. Acho isso bonito de se ver. É como uma neblina pouca e morna. Pus a mão abanando essa fumacinha. Alguém passou estranhando meu jeito. Não lhe dei confiança, levantei e segui caminho.

Baixei pela ladeira da rua 13 de Maio, procurando o alvoroço das meninas, mas até ali nada delas. A noitinha linda, com nuvens gordas e, por trás delas, o azulão escuro do céu aberto, ia ser das frescas, ainda bem. Naquela hora a luz das casas já saía pelas janelas mostrando o que tinha dentro. Quem passava em frente não podia deixar de notar.

Caminhava assim, distraído com o povo dali, até que cheguei onde pensava que fosse a brincadeira de rei, mas ainda nada delas. Fiquei frustrado com aquilo, remoendo o grito que tinha dado. Tive receio de me perder, porque essas ruas são todas muito parecidas. Desci até quase a igreja do Amparo e, quando já estava desistindo da busca, dei com um homem de nariz grosso e braços cruzados no parapeito de uma casa de porta e janela. Ele ia nu da cintura para cima e tinha uma cabeleira basta, muito grisalha. Reconheci imediatamente a figura do Ramires, já sem a bata.

Perguntei o que era feito das três petulantes que andavam soltando fogos fora de época. Ele disse que não tinha visto dessas. Achei estranho e desconfiei que o enfermeiro pudesse ser pai ou até avô de uma das três, daí a proteção. Fiquei por perto e, não tendo mais o que fazer, lhe ofereci um cigarro.

Ah, meu filho. Dado não é roubado, ele falou, e fez sinal para que eu levantasse o pé. Vi que tinha pisado numa nódoa avermelhada. Ele comentou aquilo. Olha aí o sangue de anteontem. Você foi mesmo nele, o enfermeiro disse, e se virou para dentro de casa fazendo um aceno com a cabeça.

Só então me dei conta de que sentado numa cadeira de ferro e lona tinha um homem queimado de sol, fardado de casaca azul com um quepe à mão, as divisas e os botões reluzindo na pouca luz da saleta. O homem olhava para fora, muito quieto, acompanhando o movimento em frente. Tomei um susto. Realmente, não havia percebido essa presença. O Ramires, ali fora, do meu lado, fez assim com a mão e o soldado veio vindo.

Pela platina, notei que se tratava de um capitão e imediatamente lhe bati um aceno. Ele não fez cerimônia, chegou falando que para se ter uma ideia da extensão do golpe de outubro, e apontou para o lado do porto do Recife, havia que se pensar na intentona de 1935. Dessa vez basta ver que caíram os dois responsáveis pelo trabalho disfarçado, ele disse, o encarregado das palestras e também os aparelhos mais importantes da direção, com as atas do quarto congresso, as do comitê regional, dos comitês de zona e dos distritais, mais de trezentas biografias, e também os relatórios do plano Stalin e Lenin, a biblioteca social, os balancetes. Tudo. Até uma volks e um jipe, ele disse, foram apreendidos.

O Ramires balançava a cabeça como quem já sabia daquilo. Eu, abalado naquelas primeiras semanas, ainda me acostumando à rotina da clínica, imaginei o quanto doutor Ênio me desaprovaria qualquer envolvimento na história. Fiz menção de ir embora. Porém, curioso para saber quem eram nossos vizinhos, além dos kardecistas, fiquei a ver se ouvia mais.

O capitão passou adiante notícias de gente conhecida do Ramires. Em seguida, acendeu outro cigarro dos meus e disse que no bairro de Paulista tinham caído quinze elementos e que, na Macaxeira, foram oito, sendo que dois se mantiveram firmes, e os demais fizeram pior, delatando os colegas. Em Camaragibe os mais responsáveis traíram logo. Dos seis que caíram, os que não falaram na mesma hora abriram mão de documentos importantes. Na Torre foram treze, ficando dois firmes. O mais responsável chegou a levar a polícia à casa dos companheiros. No de Casa Amarela, todos os cinco não resistiram e acusaram a direção do partido numa nota publicada em jornal. Já no cais do porto caíram dois, ambos firmes, inclusive o mais responsável nem sequer reconheceu a própria biografia. Como sempre, o capitão disse, onde os camaradas foram fortes o inimigo não conseguiu aplicar seus golpes. No comitê distrital aqui de cima prenderam dois. Infelizmente eles denunciaram tudo que sabiam.

O Ramires ouviu o restante do relato visivelmente consternado. Pedia detalhes e mostrava grande curiosidade pelo resto da notícia, quem estava envolvido e se era verdade que as prisões iam ser relaxadas, e se já tinha havido morte ou não.

Fiquei ansioso e pedi licença para ir andando. No caminho de volta, tanta gente vinha subindo a ladeira a pé ou de bicicleta, indo para as suas casas, que me impressionei com o movimento e perguntei a um menino que horas eram. Ele respondeu que, mesmo sem ter relógio, como dali a lua já passasse da Sé, devia ser 19h ou 19h30. Chegando à clínica, vi que já passava das 21h. Foi quando madame Góes me reprovou o atraso e fez uma cara feia.

Jurandir. Aqui temos hora, ela disse. E acrescentou que falava em nome de doutor Ênio.

Não lhe dei atenção e fui comer sozinho, na cozinha. Voltei a Belavista nervoso. Depois de cear, fui para o quarto, subi no tamborete e limpei com o pano da camisa o vidro do basculante que dá para fora. Olhei por ali. Fiquei vendo se rondavam a clínica, mas não havia ninguém. Vinha apenas uma brisa agradável e, lá embaixo, o porto do Recife, com seus guindastes e armazéns, estava todo iluminado.

Estava num hospital grande que não era uma clínica, como Belavista. Lá fui até um quarto no qual havia um doente com uma moléstia contagiosa. Abri a porta por curiosidade e, de repente, o doente me tocou no ombro. Isto foi visto por um enfermeiro que se parecia com o Ramires. Esse enfermeiro logo me mandou para o ambulatório, a fim de que eu fosse desinfetado. Uma vez lá, encontrei Assis Chateaubriand. Todos tratavam o velho muito bem, pois sabiam que ele era o magnata dos Diários Associados. Ele estava nu e alegre e começava a dançar comigo. Em certo momento, senti o membro dele me tocar, então me afastei. Assis Chateaubriand continuou dançando sozinho. Passei a discutir com ele, sem me aproximar muito, dizendo que o jornal que eu estava lendo era bem melhor do que o publicado por ele. O velho me disse que de jeito nenhum, pois a tinta do meu jornal largava toda na mão. De fato, quanto a isso ele tinha razão, daí paramos de discutir o caso. Fiquei por perto e, quando serviram a comida, notei que madame Góes tratava o paciente famoso com uma dedicação exagerada.

Chateado, saí de carro com Heloísa. Nosso carro era um conversível branco. Tínhamos brigado e eu estava tentando fazer as pazes, pois queria ter uma relação. Fizemos as pazes na estrada e eu disse que ainda gostava muito dela. Então paramos perto de um cercado, saltei com uma faca na mão e subi no capô do carro. No caminho tinha lembrado que precisava matar um bezerro e aproveitei para fazer aquilo. Passei para dentro do cercado e fui para cima de um tablado, enquanto segurava o bezerro pelos chifres com a ajuda de outra pessoa. Como não tive a coragem necessária, essa outra pessoa apanhou a faca da minha mão e deu o golpe por trás da cabeça do animal. Jorrou muito sangue, que foi aparado com uma bacia de metal no chão. Para minha surpresa, a pessoa ali ao lado era a própria Heloísa, que segurava a faca suja e me dizia que tinha ficado cansada de esperar no automóvel.

Dirigimos de volta para o hospital e, uma vez lá, saltamos juntos. Heloísa ficou um tempo no estacionamento, fumando.

É melhor você parar com isso, eu disse.

Ela não respondeu. Tragou mais forte, me deu as costas e saiu andando. Fiquei na calçada. Fiz um aceno com um livro que tinha na mão, mas Heloísa já tinha entrado no hospital, que era alto e branco. Logo em seguida vi meu filho saindo do mesmo saguão e acenei para ele, surpreso. Ele me viu e caminhou em minha direção.

Você já melhorou? Como é que você saiu?

Andrezinho me disse que já tinha ficado bom. Falamos longamente. No alto, havia uma lua imensa e amarela, e o céu estava limpo. Fiquei emocionado. Em certo momento percebi que, apesar da conversa, nossas bocas não se mexiam. Também não saíamos do canto, apenas estávamos ali, um diante do outro, e eu com uma grande vontade de lhe dar um abraço. Mas acabei não dando. André parecia maior e mais magro.

O sol entra tão forte pela janelinha do meu quarto que foi preciso cobrir o vidro da rótula com uma toalha mais escura. Mesmo assim, a fresta entre a moldura e o pano deixa passar uma lava de luz até a parede que decorei com postais e páginas de revista. Essa ponta de claridade já basta para que me barbeie com a navalha emprestada do Ramires, vendo a cada lance dela uma dose de espuma pintada cair no lavabo embaixo do espelhinho, que penduramos com um fio de cobre enroscado no prego da parede.

Às vezes me sento na cama e não faço mais nada até descer. Passo o tempo escrevendo uma carta ou outra para Heloísa, Minie ou alguém mais. Sinto muita falta das pessoas e, enquanto escrevo, fico revendo os assuntos que deixei pendentes e que me perseguem à noite. Apesar disso, quase nunca peço o remédio.

Antes da ceia, depois de acabar uma carta, voltei a pensar na expressão de Barnabé jardineiro diante da minha raiva e, também, no meu sogro Constantino tomando banho de lago, o que na verdade nunca soube que ele fizesse. Eram de novo as mesmas imagens de antes. Andava pensando nelas e anotando o que doutor Ênio pediu, as cenas de minha estada aqui perto, no Recife, anos atrás, assistindo à rotina de Marco ser transformada pelos eventos na família. Cuidava disso, quando percebi que ia me atrasando para a ceia. A clínica parecia vazia. Depois da discussão com madame Góes, tinha passado o dia praticamente no quarto. Não queria encontrar com ela. Cheguei perto da porta e encostei a orelha tentando ver se distinguia o ruído das pessoas pisando no assoalho ou fazendo ranger o madeirame da escada. De repente soaram três batidas fortes, na altura do meu ouvido. Bateram de novo e eu, ali em cima, puxei a maçã da porta, abrindo o vão do quarto ainda com o estrondo das pancadas na cabeça.

Madame Góes apareceu vestindo sua túnica comprida. Começou a reclamar de mim, de novo, e por que era que eu não tinha ido fazer aquelas compras que ela tanto tinha me pedido? Ela própria respondeu que isso era sinal da falta de espírito de grupo em Belavista, principalmente entre as almas-grátis. E eu era uma dessas.

Quis evitar outra discussão. Agora o grupo já tinha se reunido em volta da mesa, lá embaixo. Com a porta aberta pude ouvir o falatório. Ela queria saber se eu precisava de ajuda para descer. Falei que não.

 A senhora estava aí fazia tempo?

 Que pergunta, ela disse.

 Só por curiosidade, insisti.

 Ficamos em silêncio.

 Tem muita gente?

 Hoje, não, ela disse, e passou outra vista pelo meu quarto. Depois me chamou novamente e fez um comentário simpático. Já desceu quase todo mundo, Jurandir. Vamos?

 Esse modo de ela me ciceronear fez com que, no começo, me sentisse mais à vontade. Comentei o fato e acrescentei que, quando bateram à porta, sabia que era ela. Tinha ouvido os passos na escadaria e no corredor. Daqui de cima se escuta tudo, e também me lembrava das visitas anteriores. Verdade que isso me dá forças, eu disse. Mesmo assim, a distância de casa já faz meu corpo doer um pouco.

 É só uma fase, Jurandir.

 Sinceramente, não acho que seja dor passageira.

 Ela não comentou. Queria que fôssemos logo, parece que doutor Ênio tinha esperado para cear com todo mundo. Imaginei a chateação que seria animar conversa com gente entediada num domingo à noite, quando na verdade minha cabeça estava em outro lugar. O fato é que, volta e meia, me pego pensando em Heloísa. Imagino quando vou voltar a me encontrar com ela. É uma sensação péssima. E ainda não pude cuidar do caso do rapaz queimado. Mas nada disso, até então, eu tinha comentado com madame Góes. Minie é quem tinha razão quando me disse num almoço, no ano passado, Jurandir, nunca entregue o que é seu de uma vez só. Assim ninguém lhe dá valor.

Meu caro, madame Góes disse. Está me ouvindo? Você realmente não tem do que se queixar.

Olhei para ela e retomei o assunto. Não me queixo, falei. Só digo que às vezes me sinto mal.

Eu sei. Mas você não pode se queixar.

Certo. Não me queixo.

É bom.

E a senhora?

Eu, o quê?

Se queixa.

Mas, de jeito nenhum, ela disse.

Ah, sim. A senhora se queixa. E muito, falei.

Madame Góes achou graça. Então começamos a descer as escadas.

As pessoas, caminhando no salão ou indo rumo à cozinha, nos olhavam com interesse, enquanto baixávamos devagar. Notei que um ou outro, que ainda não me conhecia, comentava aquilo. Mas eu e meu cicerone, trajando seu vestido abundante, azul sobre azul, continuávamos conversando tranquilamente, sem que essa atenção toda nos importasse nem um pouco.

Ao contrário do que acontecia no verdão, na clínica eu achava difícil evitar essas grandes questões. Estamos sempre sendo arremessados ao confronto com a dureza daquilo que melhor estaria se fosse simplesmente esquecido. Sendo assim, eu às vezes buscava voltar aos temas por gosto, desatando o fio das coisas e tentando, desse modo, esclarecer as situações de antes, conversas que hoje me soam mais graves do que a princípio pareciam ser. Ou então essas mesmas questões de repente me vinham do nada, surgidas após uma entrevista com doutor Ênio, uma dessas em que ele me pedisse um detalhe que, na surpresa da pergunta, era difícil lembrar com segurança.

Quantas pessoas foram visitar seu filho?

Como assim? Não sei. Heloísa deve saber.

Mas quantas você acha?

Realmente, não lembro. Umas poucas. Na verdade o hospital era muito longe.

E seu filho não podia ter sido atendido na clínica da empresa? Como você mesmo foi, doutor Ênio disse.

Não. Acho que não. Ele ficou desacordado um tempo. Desse jeito só em UTI.

Jurandir, e você achava o que disso?

Eu não achava nada, doutor Ênio. Não sou médico. Nunca me pagaram para ser médico. Meu filho foi para onde puderam levar ele, falei.

Não consegui esconder certa irritação com aquela insistência. O fato é que doutor Ênio às vezes repete as coisas. Nisto, ele é como Minie, que gosta de voltar aos mesmos problemas e me ouvir contando as histórias de sempre.


O nome do cachorro de André, o meu filho, era Gandhi. Muitos, sem saber de quem se tratava, chamavam o bicho de Grande, rindo dele, que na verdade era do tamanho de um sapato. Perguntavam, às vezes, que raça é essa? E eu dizia, é sem raça mesmo. Então eles riam ainda mais.

Quando madame Góes veio saber de mim que nome ela deveria dar ao gato novinho que ela tinha achado na rua, lembrei imediatamente disso e falei para ela, Gandhi. Mas ela não gostou. Disse que esse era um nome político demais. E que de política ela já estava farta.

O gato era malhado como uma holandesa, com manchas pretas pelo corpo. Madame Góes vivia agarrada ao bicho, que de repente apareceu coberto de pó. Ela tinha lhe dado um banho de veneno contra pulgas. Queria limpar o animal das suas andanças noturnas, da qualidade de vida que ele pudesse ter tido antes de cair nas mãos dela.

 O gato, que acabou recebendo o nome de Paty, e não tenho certeza se era uma fêmea, passava o dia se lambendo e correndo de um lado para outro em Belavista, apenas para ir acabar num canto e voltar a se lamber, deixando aquele cheiro de urina e cloro por onde passava.
 A maioria de vocês já sabe o que aconteceu. Não quero me alongar nisto. Ele morreu, tirando com a língua o veneno bem-intencionado que madame Góes lhe dosou. Não era veneno para gato, em gato não se passa nada no pelo. Todo mundo sabe, mas ninguém alertou a pobre senhora.

O rapaz do rosto queimado pode conseguir na justiça uma indenização por perdas e danos. Porém, muitos no verdão duvidam que ele chegue a alcançar uma aposentadoria por invalidez. Alegam que ele é jovem, está na força da idade, e que o rosto enrugado e um olho turvo não incapacitam ninguém para um trabalho daquele tipo, de quem opera as prensas de passar as peças de pano e as máquinas de estamparia a vapor. Seja como for, o menino não merece ficar desassistido, e isto eu próprio disse à mãe dele, quando nos falamos por telefone.
 Obviamente esse não foi o mesmo caso do meu filho, anos atrás, cujo acidente ocorreu em hora de lazer com um amigo da mesma idade, ou quase da mesma idade, e por inépcia de um deles. Não há comparação possível. Mesmo assim, às vezes acontece de eu pensar em como teria sido levar adiante o que muitos me recomendaram na época. Que eu buscasse na lei o reparo da situação após o desastre.
 Se o culpado é de família rica, enfie a faca. Nada mais justo, Jurandir, era o que alguns colegas do verdão me diziam. Mas não lhes dei ouvidos.

Heloísa também não dava atenção à questão propriamente legal. Pensava apenas no menino, nas chances de Andrezinho deitado naquela cama de hospital, aguardando nossas visitas. Fomos e voltamos ao Recife algumas vezes, eu e ela, fazendo aquele trajeto que noutros tempos já nos tinha separado as vidas. É curiosa essa repetição das circunstâncias. Lembro que no caminho, de casa até o hospital, antes levávamos mais de duas horas dirigindo o carro que seu Constantino nos ajudou a comprar, um forde cupê de duas portas, alaranjado. Heloísa, chegando perto da área mais urbana da cidade, ainda longe do mar, comentava o aspecto daquele entorno, apontando, aqui e ali, os lugares que ela conhecia ou por onde já tinha passado quando fez o preparativo para a faculdade. Essa faculdade ela nunca acabou. Mas nas três ou quatro viagens de carro que fizemos para ver nosso filho, ela me contava um pouco da sua experiência de antes. E, muito embora no trajeto até ali Heloísa permanecesse a maior parte do tempo calada, olhando pela janela, ao chegarmos mais perto do destino ela de repente ficava falante.

Numa dessas ocasiões minha esposa se virou para mim e perguntou se eu não tinha vontade de mudar de vida, mesmo que fosse àquela altura.

Você não gostaria de morar aqui no Recife, Jurandir? Como você sempre quis, ela disse.

Eu? Claro que não. Cidade grande é cara e perigosa.

Não é bem assim, ela falou.

E como é que você sabe? As coisas mudaram muito, Heloísa. Desde que você passou seu tempo por cá. Pensa que não?

Eu sei que as coisas mudaram.
Então.
Então o quê, ela perguntou.
Você nem imagina como isso é agora.

Dá para ver que não é tão ruim. Olhe, e ela apontou pela janela, indicando os avenidões e alguns prédios de apartamentos que na época estavam começando a subir.

Não digo que seja ruim, Heloísa. Só digo que não é vida para nós dois, agora que temos casa, carro e trabalho já de alguns anos. Isso tudo não cai do céu.

Eu sei, ela disse.

E por que essa pergunta logo agora?

Só por curiosidade, Jurandir.

Curiosidade?

É. Só mesmo por curiosidade.

Bom, eu disse. A curiosidade matou o gato.

Heloísa não riu, mas ficou com um ar de graça. Depois comentou os mercados dali, o comércio variado. E também os restaurantes, maiores e de várias qualidades.

Lembro muito bem disso, porque cogitamos comer ali perto, antes de chegar ao hospital. Acabamos parando numa churrascaria de estrada, rumo às avenidas da costa. Foi a única vez que fizemos isso naquelas viagens que eram, a bem dizer, o absoluto contrário de um passeio. Quem de vocês já teve um filho internado sabe o que quero dizer. Apesar disso, durante o almoço nosso tom não era o do lamento. Heloísa me provocou algumas vezes com essa história de nos mudarmos para o Recife, a fim de recomeçar tudo outra vez. A loucura era tão grande que rimos daquilo, até paramos de comer, e fiquei pensando em como seria isso. Minha esposa, notando esta centelha, perguntou se eu não queria outra cerveja, para pensar com a cabeça mais fresca. Tínhamos chegado ao ponto de fazer piada com as nossas fraquezas. Realmente, o momento era agradável. Então me levantei para fumar e fiquei olhando Heloísa de longe, sentada à mesa. Ela, muito bonita. Tinha tomado banho antes de pegarmos a estrada, trajava um vestido branco, o cabelo apanhado por trás, com uma banda elástica, e os óculos de sol por cima do penteado.

Pensando nisso, agora não posso deixar de voltar a rir do absurdo daquela situação. Esse almoço foi um bolha, uma onda no tempo que nos levou de volta aos nossos modos de antes, nós dois mais jovens rindo de coisa tola, compartilhando um cigarro ou o mesmo copo de bebida, enquanto desfilávamos alguma fantasia impossível de se materializar. Nem parecia que estávamos a caminho de rever nosso menino entubado em cima de uma cama de metal, coberto por lençóis brancos com a estampa das armas da Marinha, e mais, aquele cheiro de éter por todo canto, com as enfermeiras e os médicos passando sem nos cumprimentar. Não. Eu e ela estávamos vivendo no embalo de um momento anterior, como se não houvesse nada pela frente, como se nosso velho apego, discreto e seguro, que primeiro nos uniu, tivesse retornado a fim de nos dar a folga que, bem merecida, nos deixaria mais fortes para aquilo que estávamos prestes a encarar. E a refeição que dividimos era menos churrasco que um sopro qualquer a nos animar um pouquinho mais, naqueles quilômetros que nos separavam de Andrezinho. Eram os quilômetros de um continente ao mesmo tempo novo e muito antigo, distante do verdão e também do hospital de emergências. Nem sempre o que vem de antes vem para nos derrotar. O corpo parece que traz, na memória dele, as chaves para um estalo qualquer contra essa lei mais constante e diária, que é a mortificação. O mais impressionante é que isso não pode ser calculado nem resgatado por mera vontade. Conta mais, nestes casos, a presença de alguém que nos ajude a soprar, casualmente, o braseiro inconsciente da esperança.

*Tirar o pó da cara cansa.*
UM PALHAÇO

Não me considero uma pessoa política. Tento não me envolver na comoção das multidões. Também nunca aspirei entender ou salvar meus semelhantes. Apesar disso, às vezes me chega uma onda de inclinação pelas pessoas. Alguém que não vejo faz tempo ou que está próximo, mas em quem não tinha prestado atenção, e de repente me bate uma sensação de benquerer. Penso que daí resulta a prova do apego pela espécie, que todos temos lá dentro e a maioria teima em ocultar. Meus primeiros momentos fora de Belavista, andando à tardinha atrás daquelas meninas, me lembraram disso, do quanto o esforço pela melhoria da vida alheia nos custa uma boa fatia das nossas próprias vidas. Eu admirava o capitão e o enfermeiro por seu amor às coletividades. E minha ligação ao Ramires, a despeito das nossas diferenças, após aquele arrazoado político sobre as prisões de outubro só veio mesmo a crescer, até culminar na estranha semana do ensaio da peça de doutor Ênio.

Naquele domingo, após nossa discussão sobre as compras de última hora, eu e madame Góes começamos a descer. Chegamos ao refeitório e fomos sentar. Os outros já estavam com doutor Ênio, que tinha ficado para cear com o grupo. Ali, ele próprio explicava a cena do enterro de Lantânio e como ele queria mostrar com aquilo a fragilidade dos ideais. Para ilustrar suas intenções, doutor Ênio descreveu um momento na vida real, em que um fiel atira uma mão de sal no corpo velado do místico, na frente de todo mundo, o místico deitado em seu caixão com duas moedas de cobre por cima dos olhos. Depois, o mesmo fiel corre da cena, vai embora. E todos começaram a limpar o piso salpicado em volta do corpo bento.

Agora, doutor Ênio perguntou, o que era que isso queria dizer?

Ninguém à mesa tinha resposta. Ficamos calados, vendo ele balançar a cabeça, parecendo que nos demonstrava o óbvio, mas óbvio apenas para ele. Ou talvez não, talvez ele quisesse que tomássemos o caso como um exemplo a ser seguido em Belavista, como um método para tratarmos a ruína das coisas, as bandeiras que queremos de pé e não podemos com elas. O fato é que, ouvindo isso, passei a refletir sobre minha situação. Senti por doutor Ênio aquele apego à espécie, fruto do meu entusiasmo. E por que não dizer tudo? Fui tomado pela fraternidade, que é o ânimo nutrido pelo semelhante. Vi que ele obviamente se encanta com Lantânio a ponto de querer descrever, na peça, os detalhes do fim do místico. E afinal já tinha chegado a hora, doutor Ênio nos disse, enquanto madame Góes arregalava os olhos. O médico queria começar com os ensaios no outro dia, na segunda-feira mesmo. Estávamos prontos ou não? Porque o carnaval vinha aí, e ninguém ia poder fazer nada durante mais de uma semana. Então, sem galpão nem toldo lá atrás, doutor Ênio falou que íamos reservar o salão da entrada durante o horário do almoço. E todo mundo fizesse o possível, ele disse. Lembrei como madame Góes tinha discorrido sobre doutor Ênio estar fixado naquele plano. Talvez com isso ele quisesse deixar de lado a derrota no fórum, que barrou a reforma da clínica e lhe fez perder a kombi. O Ramires achava que uma coisa não tinha nada a ver com a outra, que história nenhuma salvaria os pacientes nem ninguém. Seja como for, me parece que os médicos da cidade apreciam teatro. O próprio Ramires me confirmou que conhece vários com essa mania.

Sempre que posso, escrevo na banqueta que pus na frente da janelinha do quarto, aqui nesta masmorra que todos chamam carinhosamente de Belavista. Poder dispor de uma máquina de escrever é um verdadeiro acontecimento, ainda não cheguei lá. Ando tão demente, tão destruído pela produção de relatórios sobre meus sonhos, sobre as leituras e os balanços do dia a dia, que só enxergo compromissos e pretextos médicos, motivos que em tudo me parecem burocráticos, cheios de prognósticos e efeitos colaterais. Não me refiro, faz tempo, nem de longe, à minha cidade. Nem ao verdão. Neste ponto, de todas as pessoas, Minie é quem estava certa.

Tenho medo de que você despreze o melhor de si mesmo. Essa cabecinha extraordinária, Jurandir, em favor da rotina. Aí, por mais que você ostente seu brilho, por mais que irradie organização, no saldo final, ela disse, isso tudo não vai valer nem uma centelha da história que só você pode contar.

Quando Minie me falou isso, ainda estávamos no melhor da amizade. Lembro que costumava pedir sua opinião a respeito dos casos que precisava preparar sobre os acidentes na tecelagem, tirando daí os panfletos de orientação contra os hábitos mais arriscados. Coisas nocivas que os funcionários, no geral, teimam em manter.

Minie acha que cada qual sabe o que é melhor para si. E que não tinha como a empresa impedir a má sorte dos peões apenas imprimindo volantes de papel.

Aqui não tem peão, garota. Tem gente trabalhadora. Gente querendo rumo, falei.

O que a empresa pode é melhorar. Dar atenção a quem dá duro. Pagar mais, ela disse.

Não respondi. Realmente, não queria discutir.

Minie estava nua, de bruços em cima da cama, com a cabeça deitada por cima dos braços cruzados. Eu já tinha me vestido. Fiquei sentado, passando a mão nas costas dela.

As indenizações, quando vêm, levam uma vida. De que adianta, ela perguntou.

E o jeito é pagar mais depressa? Ah, sim. Pagar para o povo ir gastar na cachaça.

Minie sacudiu a cabeça. Você não me leva a sério, hem?

Sorri, procurando mudar de conversa, e tentei completar em tom de brincadeira. Mas se eu sou é o seu boneco de corda. Mande as ordens, menina.

Demos um tempo, com ela calada, enquanto eu passava a mão pelos seus cabelos. Acontece que Minie não é de perder oportunidades. Logo retomou o assunto, com a voz ríspida.

Jurandir, ela disse, e se virou para mim. Tirei a mão e fiquei esperando. Olha aqui, meu filho. Vai tomar no cu, ouviu?


Estar sozinho em Belavista tem qualquer coisa de especial. Posso me entender com o passado, conversar com meus costumes, garimpar pepitas nos livros da biblioteca de doutor Ênio. Chego à varanda de trás, olho o tanque, os coqueiros, as calçadas com gente passando, o vulto de meu filho se encobrindo na pouca distância até o Recife, e me pergunto o que me resta fazer aqui. Talvez somente mentir para não melindrar meus semelhantes. Exercitar a falsidade, me atolar nesta impostura.

Tentei comentar isto com o Ramires, mas o enfermeiro é vidrado num único tema. Recentemente me trouxe um rádio. Queria mostrar o programa político de que tanto gosta. Sintonizamos na estação. Eles têm uma hora no dia em que as pessoas ligam e dizem de onde são. Depois cantam o trecho de uma música qualquer, da sua própria escolha, daí o locutor vai e toca a versão original, com um cantor de verdade. A diferença entre as duas versões faz quem ligou soar ridículo. Às vezes o próprio locutor ri daquelas interpretações tão espontâneas.

Senti agonia ouvindo isso. As músicas eram em geral canções de amor, com gente distante de casa. Verdadeiras baladas de caminhoneiro.

E esse é o tal programa político?

O Ramires disse que não, que o que ele queria me mostrar só passava mais tarde. Deixou o rádio comigo e depois saiu para ir cuidar do turno.

Quando fiquei só, fechei a porta do quarto, acendi um cigarro e fui examinar o aparelho. Era um receptor transoceânico de AM, FM e ondas curtas, com bandas de recepção de onze a cento e vinte metros. A estação preferida do Ramires era na faixa baixa da AM. Mudei o seletor e passei para outra banda.

Estavam transmitindo quase que somente músicas mais embaladas, de rock. Tentei buscar entre as estações alguma coisa parecida com as canções que vinha escutando na perua da tecelagem, a caminho da capital. Lembro que, entre o Blue Love e o fim da minha viagem, houve um momento em que ia dirigindo com a cabeça longe, olhando a paisagem e, de repente, reconheci no rádio uma música que Minie primeiro me mostrou. Era em inglês. Uma das meninas do verdão, fluente nesse idioma, tinha traduzido a letra numa folha de caderno que circulou pelo quarto andar e acabou indo parar nas mãos de Minie. Uma noite em que ficamos escutando os LPs dela até mais tarde, quando a música começou a sair pelas caixas da vitrola, ela correu, foi puxar da gaveta aquela folha de papel. Sentou do meu lado e começou a ler o significado das estrofes que o artista ia cantando.

Era uma canção alentada, com uma batida mais grave, de violão e guitarras. E não me dava tanto a impressão de ser tristonha, no seu sentido, como realmente era após eu saber o que o cantor dizia. O tema tratava de um rapaz que tinha conhecido uma moça diferente. Ele, que cantava a música, na verdade tinha sido o garotão inocente dela. Um dia, a moça mostra seu quarto ao rapaz, dizendo que tudo ali era em madeira de lei, e ele se impressiona muito. Ela fala que ele fique à vontade, mas olhando em redor o rapaz não vê cadeira nenhuma. Então sentam os dois no tapete e começam a tomar vinho até alta noite, quando de repente ela diz que é hora de ir para a cama, porque tinha o trabalho de manhã cedo e, com isso, ria muito. Sem jeito, o rapaz vai dormir no banheiro. Quando acorda, vê que está sozinho. Ela já tinha saído. Daí ele acende a lareira e começa a queimar, aos bocadinhos, toda aquela madeira de lei.

O refrão se repetia, com a voz do rapaz dobrada pela dos seus companheiros de canção, em coro, dizendo que madeira de lei era realmente a melhor para se queimar no fogo. Isto eles cantam pelo menos três vezes, com muito sentimento.

Falei para Minie que ela tinha razão, que a música era bonita. Ela me passou a capa do LP, com o desenho em preto e branco de vários rapazes do cabelo mais cheio. Os rostos deles se repetiam em pequenos quadrinhos, cada qual fazendo poses e expressões diferentes. Minie disse que tinha sido um deles mesmo o autor daquilo, que eram muito talentosos. Falou que aquela era a sua canção preferida, porque era a mais engraçada.

Você quer dizer a mais triste. Não é? Essa música é muito triste.

Triste por que, Jurandir?

Aleguei que o rapaz, depois de abandonado, tocava fogo na casa da moça. Arrasava com tudo que ela tinha. E isso não era infelicidade? Claro que era.

Minie respondeu que eu não tinha entendido nada, que eu era um ingênuo, ou então estava fingindo. Segundo a percepção dela, aquilo era um teste para o garoto e, obviamente, ele tinha sido reprovado.

Reprovado em quê? Quero saber, falei.

Então ela desfiou uma longa justificativa para a situação na qual aquela moça tinha posto o rapaz. E isso tinha a ver com o fato de que a jovem, na verdade, para Minie, precisava se proteger de toda aquela inocência dele, desse sujeito que não passava de um tipo emocional e simplório demais.

Eu começava a construir uma casa, porém os alicerces eram como uma ponte, por baixo não tinha nada. Como seu Constantino também queria fazer uma casa, eu o aconselhei a procurar o arquiteto que estava construindo a minha. Ele respondeu que de jeito nenhum, pois queria uma robusta, não uma flutuando no ar como as de Brasília. Disse meu sogro que iria fazer a construção ele mesmo, com as próprias mãos. Porém, disso eu duvidei.

Acontece que o velho, que ali aparecia muito jovem, foi adiante e fez a tal casa. No dia em que me convidou para ver como tinha ficado, tomei um susto. Ele levantou um prédio idêntico ao hospital em que meu filho se internou no Recife, depois do acidente de moto com Kid Couto. Vendo aquilo, Heloísa chorava muito, e eu mais ainda. Senti meu rosto pegando fogo, enquanto nós dois nos abraçávamos olhando a edificação que lembrava o pronto-socorro do hospital da Marinha.

Referi este sonho a doutor Ênio. Lembro que acordei transpirando. A conclusão que tirei, sem a ajuda dele, é que acho que estou me distanciando dos meus. Às vezes, sem razão, me sento na poltrona na sala da frente, olhando pela janela, e passo em revista as últimas semanas na clínica. Os colegas do verdão devem pensar que estou passando férias na capital, buscando reatar com meu amigo Marco Moreno Prado, que ando procurando por ele. Até Minie pensava isso. Ela própria me confessou. Disse que eu admirava quem na verdade tinha vivido de braços cruzados, com as pernas para cima, riscando a ponta dos pés na poeira do chão, enquanto o tempo passava sem mudar a razão das coisas. Mas, realmente, sendo Marco quem era, para que trabalhar? Como impedir o rumo de uma família que lhe tirou de casa o avô, os tios, o pai, e fez de todos eles inimigos uns dos outros?

Eu, ao contrário, quero muito voltar à ativa. E quero também ir para casa. Aos que me considerem de longe, aqui, essa impressão de que estou flanando pode até ser justificada. Para mim, no entanto, ela é uma cilada contra a qual há pouco que eu possa fazer. Nem o sujeito se entende nem ele entende seus semelhantes de modo completo. Ninguém é capaz de conhecer de forma plena a vida dos outros, ou mesmo a vida em sociedade, seja neste país ou em qualquer outro lugar. Tamanho conhecimento não pode ser privilégio exclusivo de uma só pessoa. E tal fato é difícil de aceitar. É um tema da política, creio eu. Então, talvez aqui doutor Ênio e o Ramires encontrem finalmente um ponto em comum.

Refletia sobre isso quando, depois da ceia com doutor Ênio, levantamos todos da mesa e madame Góes me puxou pelo braço. Tinha certeza de que ela queria comentar a notícia que havíamos acabado de receber, marcando a primeira leitura da peça já para o dia seguinte. Saímos do refeitório e fomos para a calçada da clínica, onde fui fumar. Ela disse que notou o respeito que eu tinha pelas opiniões do Ramires, então me contou que ele era o maior pé de valsa, que duas noites por mês sai com uma ricaça só para dançar. E essa mulher lhe paga dois ou três uísques estrangeiros com água gasosa, enquanto os dois dançam um tipo de rumba a passo corrido. Disse que junta gente para ver.

Argumentei que, na realidade, ninguém conhece ninguém e que, em se tratando das pessoas, nada me surpreende. O Ramires tinha direito às suas manias. Quando falei isto, ele próprio pôs a cabeça para fora da janela e se virou para o nosso lado.

Já tão tarde num dia santo e a senhora ainda falando de mim, ele disse.

Falo de quem merece. E o senhor não se cansa de escutar a conversa alheia?

A rua é do povo, madame Góes.

A rua é de quem trabalha pela rua, ela disse.

Ele então aumentou a voz. O que é que isso quer dizer, hem?

Já disse. A rua é de quem trabalha pela rua.

O Ramires ouviu a frase repetida e ficou furioso, colocou a cabeça de volta para dentro. Pensei que fosse sair, mas não saiu.

Percebendo como fiquei, madame Góes chegou mais perto. É que ele odeia a vida, Jurandir.

O Ramires?

É, odeia.

Acho que não, falei. E ele não dança?

Ela riu, e se explicou. Uma vez, animado na conversa, o Ramires confessou que se tivesse um botão, como o do presidente americano, apertava ali com tudo, para apagar o planeta. Bastava ele ter esse botão. Ele odeia a vida, madame Góes repetiu. E você? Também tem raiva da alegria, abomina as classes?

Não respondi a isso.

Aproveite a graça, Jurandir. O tempo é golpista. Ele enterra a gente.

Olhei para ela sem acreditar naquele conselho. E por acaso a senhora sabe o que é perder a graça das coisas? Duvido, eu disse, apaguei meu cigarro e saí dali para o quarto, dizendo que achava melhor ir dormir.

As paredes do hospital onde meu filho esteve internado eram pintadas de azul-claro. Um cheiro de éter corria com a luz pelos corredores e também por dentro dos leitos. Esse odor só era mais fraco nas escadarias, quando se subia ou descia a caminho da visita.

Demorei a referir isto a madame Góes e ao Ramires, e foi na manhã marcada para a primeira leitura da peça que acabei lhes contando o que não sei se deveria ter contado. A dor de um só nem sempre interessa ao grupo, raramente tem apelo às multidões. Naquela famosa segunda-feira, ficamos sentados lá embaixo aguardando doutor Ênio voltar com as cópias mimeografadas do texto sobre a morte de Lantânio. Todos na clínica diziam que já estavam prontos fazia tempo. Eu não dizia nada. As entrevistas de antes do almoço tinham sido canceladas para dar espaço à leitura. Naquele intervalo depois do café, quando o Ramires esfriou a cabeça após discutir novamente com madame Góes, ficamos esperando pelo material do ensaio. Daí, a conversa passou para o tema da música jovem.

Entrei no assunto com ânimo. Fomos os três para um dos janelões que dão para a rua da frente. Cada um tinha uma opinião sobre aquilo.

Perguntei ao Ramires o que era que ele achava daquela música que Minie tinha me mostrado. Não toquei no nome dela, não adiantava mencionar quem eles ainda não conheciam. De qualquer forma, a música de vez em quando tocava nas rádios. O Ramires sacudiu a cabeça e disse que essa balada, como várias outras, mostrava bem o que era a nova geração. Eram estroinas queimando a mobília social, só tinham aptidão para destruir as coisas.

De minha parte, disse a ele que em matéria de destruição a nossa geração tinha sido campeã, pois fizemos duas guerras mundiais. E uma, inclusive, com a tal da bomba atômica.

Fizemos, não, o Ramires se exaltou. Os políticos. Os banqueiros e os latifundiários. Eles é que mandaram os trabalhadores irem morrer nas trincheiras.

Ouvindo isso, madame Góes falou que tudo hoje em dia andava mesmo de mal a pior. Principalmente em Belavista. E que na ausência de doutor Ênio, durante as festas, a rotina da clínica havia se transformado numa Bíblia sem Jesus.

Quando o Ramires escutou esse comentário, quase teve um ataque.

Foi então que, no meio de mais outra contenda entre os dois, eu já cansado daquilo, meti meu assunto particular. Abri dali uma pausa naquele bate-boca infernal, os dois reclamando por coisa pouca. Reclamando de pessoas e motivos que nem pareciam doer de verdade, de tão remotos que eram, e presos a situações que nenhum de nós de fato conhecia.

O meu filho, por exemplo, eu disse. Ele saiu com um colega. Kid Couto. Uma vez correndo de moto, depois de ouvirem essas músicas, os dois passaram do ponto na curva. Voaram por cima do acostamento e a moto mergulhou num lago.

Madame Góes e o Ramires ficaram me olhando. Quando notei essa atenção, me arrependi de ter tocado no assunto. Mas era tarde e não pude evitar que passássemos a discutir o caso. Apesar dos comentários de ambos, vi que nenhum deles queria me fazer a pergunta fatal. O

Ramires era o mais desconfiado, não me olhava diretamente. Falava fixado no vazio.

Como assim, madame Góes quis saber. Como foi isso?

Mergulharam com tudo, falei.

Esse é o perigo. A juventude não tem limite. Onde está o limite, madame Góes perguntou, e fez um gesto para fora da janela, mostrando que faltava alguma coisa importante ao redor dos jovens que passeavam pela calçada da clínica.

A verdade é que naquele instante me veio a onda de uma emoção qualquer e, com ela, despontou uma frase que se repetia na minha cabeça. A minha vida não está aqui. Isto ia e vinha. A minha vida não está aqui. Tamanha era essa impressão, diante da certeza me rondando como um eco, que me vi na circunstância do cantor daquela música de Minie. Repetia minha ladainha vez e vez como ele repetia a dele, queimando aquela mobília em madeira de lei. Mas eu não queria queimar nada. Ou talvez já tivesse queimado. Lembrei da perua do cotonifício descendo morro abaixo e, logo depois, pegando fogo ao pé daquela coluna de fumaça preta, fumo de borracha que ia longe. Então vim bater aqui em Belavista. Mesmo assim, ainda tento dar um sentido maior a todas essas ações. E ali na sala, esperando por doutor Ênio, mais do que nunca me parecia estar correta aquela música que repenicava fundo. Madeira de lei é mesmo a melhor para se queimar, é a melhor porque importa e, de verdade, faz falta.

O fato é que minha vida não estava mesmo em Belavista, nem pretendia ficar ali por muito tempo. Só não falei isto para madame Góes nem menos ainda para o Ramires, que permanecia calado. A única pergunta que ele me fez foi quem era Kid Couto, se era filho de barão. Mas preferi não responder a isso. Sabia aonde ele queria chegar.

Encerrei o assunto e aleguei que precisava buscar minha cópia do texto de doutor Ênio, antes que ele descesse. Disse também que precisava de um rolo de gaze, da pequena pá de madeira e de minha túnica azul, a que me foi costurada por madame Góes. Esses itens eram uma parte importante do drama que estava prestes a começar no salão da clínica.

Ainda não tive oportunidade de me referir a um sonho com o senhor Borche, um velho espanhol que vive há muito tempo na minha cidade. Ele é calista, massagista, professor de ginástica e balé, curador dos males que os médicos não dão jeito. Seu consultório fica em cima de um açougue e ocupa um andar inteiro, com várias salas. O senhor Borche chama esse local de Instituto de Beleza Borche. Fora o que já comentei a respeito, falta apenas dizer que ele é um homem extremamente feio, porém muito simpático.

Tendo eu necessidade dos serviços do velho Borche, fui ao seu Instituto de Beleza. Ele era meu calista. Entrei e percorri os vários recintos do andar. Dei com ele num lugar que parecia uma sala de cirurgia, onde eu ainda não tinha estado. Nesta sala o senhor Borche estava fazendo uma operação em seu Constantino. Passei adiante e fiquei muito espantado, pois ele tinha arrancado as pernas do meu sogro e estava abrindo o membro dele. Juntei um pouco de coragem e fui examinar de perto os pedaços de carne e ossos que o velho Borche tirava de seu Constantino. Lembro que peguei naquilo e achei muito estranho que um osso pequeno não encaixasse num grande, quando deveria. O senhor Borche disse que no final da operação tudo daria certo. Meu sogro estava sem anestesia e acompanhava tudo tranquilamente. Continuei a mexer nas partes cortadas e, em dado momento, me caiu um pedaço no chão. Isto fez com que o velho Borche e seu Constantino ficassem extremamente chateados.

Após o ocorrido, saí para a rua. Uma vez fora do Instituto notei que alguém jogava coisas em mim da janela do local que eu tinha acabado de deixar. Vi que era o meu sogro, ainda furioso por eu ter deixado cair parte de seu corpo na poeira do chão. Na hora, quando isto ocorreu, lembro que o senhor Borche, que ali se passava por cirurgião, tinha apanhado o pedaço e tentado limpar. Mas meu erro tinha sido grave e não foi possível ele dar jeito. Fiquei assustado e tentei fugir. Corri para não ser atingido pelas coisas que ele atirava lá do alto. Entrei numa casa e pensei que estava a salvo, quando de repente entra meu perseguidor e se escora em mim.

Tentei convencer seu Constantino de que tudo iria dar certo, mas ele não me ouvia. Enquanto eu me explicava, senti uma coisa aguda que me tocava as pernas e fiquei paralisado, sem conseguir andar.

De repente aparece uma moça linda, passa por mim e para ali ao lado. Logo começo a lhe fazer carinhos. A moça não era Minie nem Heloísa. Com bastante jeito vou trazendo a garota para perto. Começo a lhe beijar o rosto e a tirar sua roupa. Seu Constantino, ainda encostado, assistia a tudo com muito interesse. Quando já tinha a moça quase toda nua e meu membro pronto para ser introduzido na vagina dela, notei que meu sogro havia ido embora, porém a pressão da coisa aguda que sentia nas pernas continuou por um tempo. Achei aquilo estranho. Se ele já tinha saído, como era que eu ainda sentia essa sensação?

Estranhamente, quando acordei ainda estava sentindo isso.


Antes do ensaio da peça, mencionei uma parte destes sonhos à madame Góes e ao Ramires. Os dois gostaram muito, principalmente ela. Enquanto esperávamos por doutor Ênio, aproveitei para dizer de novo que em Belavista me sentia saudoso da minha família e também de casa. E só não é pior porque aqui tudo mais é muito bonito, especialmente o casario e o mercado, com o comércio de cidade maior quase sempre aberto. Mas quis que soubessem que ando fraco e cansado. E aos domingos fico ainda mais triste que durante a semana.

O Ramires, tendo escutado essas queixas, me puxou de lado e disse que eu não me preocupasse, que tudo iria acabar bem. Que o domingo tinha sido ontem, hoje era diferente. Disse mais, confessou que ele próprio foi paciente em Belavista, e agora tinha chegado a enfermeiro.

Ouvi esse voto de confiança e fiquei paralisado, não consegui esboçar reação. O Ramires estranhou meu silêncio.

Falei que precisava revisar minha parte na peça antes da leitura. Sentei na minha cadeira, numa das pontas da meia-lua na sala da frente, e fiquei aguardando que alguma coisa acontecesse. Porém, nada aconteceu. Não havia movimento em Belavista. A clínica tinha parado, esperando pelo momento em que doutor Ênio iria revelar os últimos dias daquele místico que ele tanto admirava.

Mas eu não pensava em nada disso. A notícia do Ramires, de que ele próprio havia sido interno na clínica, tinha me deixado preso na expressão dele, que, apesar da intenção, entregava ali o que me parecia ser a fatia de uma grande derrota na vida. Ao mesmo tempo, esse gesto também me encheu de uma estranha sensação de esperança.


Passou pouco até que o próprio doutor Ênio aparecesse. Primeiro ele gritou lá de cima que ia começar a distribuir a cópia do texto entre os que quisessem assistir à leitura.

O Ramires se virou para mim e comentou que a morte de Lantânio ocupava mais de sessenta páginas.

Eu sei, meu caro. Já li, eu disse.

Ele quis saber se eu tinha escutado aquele tal programa de rádio, o seu preferido. Também quis meter na conversa o caso das prisões de outubro, que eu tinha ouvido da boca do capitão naquela noite em frente à sua casa. Mas falei que não, nem tinha conseguido encontrar o programa e menos ainda queria falar de problemas com a polícia. Que eu estava ali para melhorar como pessoa.

Olha, Ramires, eu disse. Tendo eu vindo aqui para me curar, enquanto a melhora não chega, confesso que não sei o que faço. E assim você me atrapalha, entende?

E por acaso melhorar é ficar cego, Jurandir?

Melhorar é você se dedicar à cura. Não aos problemas dos outros. Não sou médico nem político. Nem me interessa ser médico nem político. Já lhe disse.

Calma, o Brasil é nosso. Perguntei por perguntar, o Ramires disse, e permanecemos em silêncio.

Momentos antes do ensaio, madame Góes também tinha vindo para cima de mim. Disse que queria saber se eu já estava melhor. Talvez se referisse àquela nossa conversa de antes, sobre o acidente de meu filho. Estive prestes a contar a ela das saudades que sentia de Heloísa e de Minie. Pensei que havíamos chegado ao ponto certo, em que a confiança afinal inspirava uma confissão dessas. Dias antes, após a ceia, madame Góes me chamou para ver um filme no clube Atlântico. Até cogitei que aquele fosse o momento certo para essa abertura. Mas descemos às pressas, chegamos tarde e ela não quis entrar com o filme já começado. Então, madame Góes aproveitou para me fazer o convite que, faz tempo, eu acho, ela vinha querendo pôr em prática.

Vamos ver lá na clínica. No meu projetor, ela disse. É velho mas funciona, Jurandir. Você vai gostar. Tenho certeza.

Voltamos devagar, ela seguindo no meu ritmo e me contando alguma coisa a seu respeito. Chegamos de volta a Belavista e fomos ver o filme. O projetor era uma peça bruta, antiga, de ferro com dois bulbos de filamento e muito volumoso, que ela puxou de cima do guarda-roupa embrulhado numa manta. A fita tinha sido do marido dela. Isto lembrou minha época de rapaz, eu indo ao cinema assistir ao que entendia e não entendia. Naquele tempo, qualquer coisa valia a pena. Enfim, depois da sessão, madame Góes me ofereceu um café com bolo. Ela tinha bolo no quarto.

Na vontade de compartilhar com ela as coisas de antes, me veio à cabeça o sonho que tinha tido naquela noite, ou na anterior.

Estava na minha cidade, em casa com Heloísa, e um homem queria falar comigo. Como eu não pretendia atender ninguém, ele entrou de qualquer maneira. Zangado com isso, atirei nele com uma pistola de chispas que cegam. Depois me arrependi, pois o homem era o tio de uma antiga professora minha, a dona Valquíria, o que me causou um aborrecimento enorme. De repente, várias pessoas também queriam falar comigo, mas eu de novo não me dispunha a receber ninguém. A maneira bruta como eu tratava as pessoas era revoltante, admito. Daí, a cena muda e já estou aqui perto, no Recife, com Heloísa, ela ainda querendo voltar para mim. Não lembro se reatamos ou não. Saí dali e acabei numa casa parecida com Belavista, onde o meu amigo Marco Moreno era o vizinho. Ele e uns colegas dele davam uma festa com algumas moças, mas não me convidavam. Vendo que não ia fazer parte daquilo, fechei a porta de casa e comecei a cavar um buraco no chão da sala.

Depois de me ouvir contando mais ou menos isto, madame Góes riu e disse que, realmente, nos sonhos pouco ou quase nada fazia sentido. Eu, já cansado dessa conversa, da caminhada e do filme, que tinha sido um dramalhão de guerra, apenas balancei a cabeça. Concordei com a opinião dela, sobre os sonhos serem algo sem coerência, muito embora para mim essas visões sejam, de fato, nossas grandes claraboias da noite.

Às vezes, penso no meu filho e em como me acostumei, tão cedo, com a ideia de não ter a companhia dele por perto. Outro dia, estando do lado de fora da clínica, bateu um vento e as árvores em frente largaram um silvo triste. Foi o bastante para me lembrar do tempo de André ainda pequeno, ele bebê de colo comigo do lado de fora de casa, a que construí no terreno que seu Constantino nos deu. Logo que passamos para lá, pus no quintal uma buganvília madura que consegui de uma amiga de Heloísa, quando essa amiga se mudou para outra cidade. Transplantei o pé florido com muito cuidado e, no fazer, tive a ajuda de alguns colegas do verdão. A buganvília pegou. Quando André tinha mais ou menos um ano e meio, costumava ficar com ele no colo embaixo da copa que se espalhava no caramanchão de canos, que armei para sustentar o peso da folhagem com suas flores de cor vibrante. Muitas vezes, no vento de agosto, eu passava com André horas a fio, ele no meu colo prestando atenção a tudo. Assim ficávamos uma tarde inteira, no sábado ou no domingo, até que Heloísa viesse buscar o menino para o banho. E o vento, dando na buganvília, fazia os ramos chiarem como chiariam os ratos e os morcegos à noite, enquanto André, naquelas tardinhas com seus olhos pequenos e brilhantes, destacados pelo volume da chupeta, se admirava com os ruídos da planta, buscando motivos que pareciam vir dos quatro cantos do quintal. Ele catava um ou outro lugar para olhar fixamente, eu acho, imaginando que a buganvília falava qualquer coisa que talvez mais tarde ele entendesse como entenderia o que eu e a sua mãe lhe dizíamos na hora da bacia d'água ou da colher com arroz e feijão e carne picada. E assim era Andrezinho vidrado na bela buganvília que herdamos de dona Neide.

No momento mesmo da leitura, sentia tantas saudades que cheguei a me contorcer na cadeira. A vida incompleta batia aqui dentro, e agora eu ia imitar o lavor de um morto lendo as falas dele, que foram escritas pelo meu próprio médico. Quem ia entender isso? Fechei os olhos no assento esperando pelas instruções de doutor Ênio. Vieram imagens de mim num colégio interno. Nesse tempo, ia sair com uma prostituta. Acabávamos numa praia muito bonita, onde propus que mergulhássemos nus. O mar estava calmo e muita gente já se banhava. Depois do banho voltei para casa andando, de noite, mas chegando lá vi que o lugar onde morava tinha virado um antro de randevu. Entrei pelo terraço e dizia a todo mundo que aquela casa era minha querida, tinha passado a infância ali. Disse que ainda gostava muito dela e, falando isto, alisava as paredes.
  Então a cena muda. Eu e Heloísa estávamos numa praia andando em cima das pedras, ela com muito medo. Falei que não tivesse medo, pois ali era sólido, e dei uns pulos para lhe mostrar. Fomos até o fim dos arrecifes e, lá, o mar estava agitado. Por causa disso, uns salva-vidas que passavam por perto nos proibiram de ir até a beira d'água, para o lado do mar aberto, depois do dique. Entre as pedras tinha um homem morto que flutuava na água vestido de azul. Quando íamos voltando, os salva-vidas disseram uma graça para Heloísa. Respondi que não ia permitir aquilo, pois a moça era minha senhora. Disse mais, que gente do interior, como eu, não gostava dessas coisas. Só então eles se calaram.

* * *

Afinal estávamos todos ali, na manhã da primeira leitura do texto de doutor Ênio, e as pessoas comentavam que ninguém tinha dormido direito na noite anterior. Só se falava em Lantânio. Até o café tinha sido mais rápido. O Ramires trajava sua bata longa, a mais recente. Alguns diziam que estavam prontos para isso fazia tempo, já tinham afastado a mesa de centro, na entrada, e arrumaram as cadeiras em forma de semicírculo. Eu tinha me sentado de costas para a porta e assim esperei, repassando o que andava me ocupando a cabeça, os sonhos que ainda não tinha relatado, porque as entrevistas da semana foram canceladas.

De repente houve um silêncio. Olhei para as escadas e vi doutor Ênio descendo com uma pilha de papéis e um copo de suco. Ele sentou diante de mim e passou imediatamente à prática, foi curto. Pediu que os voluntários, que treinaram antes, lessem de pé. Ele próprio ia dar as deixas, que eram poucas.

Afinal, levantamos eu e um rapaz chamado Maciel. Tive a impressão de que alguns ali em volta, nos olhando dos pés à cabeça, estavam descrentes de tudo, desconfiados da fé que doutor Ênio havia depositado em mim, que tinha sido tão apressada, segundo eles, e isto talvez só por eu vir de cidade pequena, como as figuras do próprio drama. Ou então era por eu ser dos poucos que passava horas buscando nas estantes da clínica livros para ler, lendo um atrás do outro, inclusive os que o próprio doutor Ênio tinha me apontado sobre as afinidades entre o misticismo e as nossas revoluções.

No começo da cena, num dia quente, de manhã, dois homens vêm aos trapos dentro de um bote a remo. Um deles, com uma bainha de revólver vazia na cintura, escreve numa caderneta preta, pequena. O outro está com a mão enfaixada, as bandagens até o meio do braço com manchas escuras. São eles um jovem coronel e o seu padrinho. Este velho, que tem a mão ruim, mesmo assim rema de um lado e de outro, sozinho, com uma pá curta afundando na lâmina do rio. Isso tudo doutor Ênio nos explicou antes. E o moço e o seu padrinho vão adiante lentamente. O velho é o primeiro a falar, ele disse. Então, vamos com isso.

Houve um grande burburinho na sala. Doutor Ênio pediu silêncio. Depois deu um gole no suco e fez um aceno para mim.

Entendi o sinal e comecei com a minha porção do texto.

Conheci um morto, o velho diz, e eu lia em voz alta, fazendo aquela parte, um morto da guerra de antes. O corpo dele no chão com um lenço lhe tapando o vulto luxado. Então fomos enterrar o batido no ponto onde ele caiu. Com faca e machado os camaradas puxaram a terra, os palmos de uma cova curta que não era preciso mais que esse pouco. Só um finco de vara contra os bichos e quem for curioso vindo à noite, passeando por perto, antes que o cheiro escape pelo uniforme furado e muito. Furo de tiro, furo de faca, até botões partiram à força de um golpe e outro e outro, e outro. Pois o subtenente foi beijar o chão e ali mesmo ficou sendo sua campa, eu disse, e fiz uma pausa. Depois continuei. Acabado esse arranjo, a terra foi reposta palmada a palmada pelos assistentes mais rasos, que apenas um tinha conhecido o subtenente. Era um amigo dele, um alferes rosado, que chorava quando deram o tiro de pólvora por honras do morto. Então, eu disse, ainda lendo, findo isso, o ordinário em volta sem os quepes fez que tudo ali ia bem, chapéus ao peito. O dó de um oficial tão jovem e que agora tinha uma cruz por espelho, eternamente. Os cotos dele por cima da farda untada à lama de barro vermelho. E o outro, seu amigo, o rosado, continuava chorando de pé, vizinho à cruz beirando o rio. Este mesmo rio ou um como este, coronel, meu filho, que agora o senhor foi cuspir dentro. Por quê, perguntei, dando a pausa para o meu companheiro de leitura, o tal Maciel.

Quem não cuspir come, Maciel disse, era sua primeira fala, fazendo a parte do afilhado do velho, o jovem coronel.

Come, quem não cuspir. Ora se não, respondi.

O rio é do povo, Maciel disse.

Vai muita gente por este rio.

Vai muita que nem volta, ele rebateu, fazendo o jeito debochado do coronel.

Que o rio dá seus giros, eu disse.

Dá os que o terreno oferece, velho. E os que o povo cava. Reme aí vá, Maciel ia dizendo, mas doutor Ênio de repente pediu que parássemos, não era assim. Tínhamos lido rápido demais.

Havia de pôr mais tempo nisso. Afinal, tinha um homem morto sendo lembrado. E esses dois, o moço e o velho, iam debater Lantânio. Os homens do místico tinham matado o subtenente ali referido em seu último momento, na conversa dos colegas de farda, dentro do bote. Assim era o começo do drama, doutor Ênio explicou. E devíamos ir devagar.

Então ele pediu que fossem buscar os bonecos. Era a solução para um começo que tinha sido fraco. As pessoas em volta se animaram com a notícia, e alguém foi lá dentro.

No tempo dessa interrupção, sentamos e fiquei observando os mais antigos e também as almas-grátis, todos interessados no espetáculo ou no que um dia viria a ser o espetáculo. Era óbvio que madame Góes também pensava nisso. Adorou ouvir doutor Ênio pedindo que fossem trazer os fantoches, para os quais ela própria havia colaborado na vestimenta. Uma moça encarregada voltou do quartinho de trás com as duas peças. Ali estavam o jovem coronel e o velho, que era seu padrinho, ambos medindo meia pessoa com seus corpinhos de vara, as cabeças bem trabalhadas e articulações na boca e nos cotovelos. Eram quase gente dos pés à cabeça. O rosto do velho tinha um nariz comprido, com os olhos pintados, bem abertos.

Recebi meu boneco e Maciel recebeu o dele. Doutor Ênio apontou para nós dois e explicou como ia ser. Vocês leem devagar, a voz é de vocês, mas eles que falam. Abracem aí. É, sentados. Abracem, vá.

Coloquei o velho do tamanho de um menino no colo e dei um abraço nele. Alguns ali riram baixinho. Olhei em volta buscando o Ramires, ele estava de pé, escorado na moldura da porta que dá para a rua, com os braços cruzados, fixado em mim.

Enquanto as pessoas em volta faziam barulho com a novidade, fiquei imaginando o que era que o enfermeiro e a viúva realmente viam aqui, sentado, comigo. Pois a resposta não me pareceu difícil de alcançar. Para o Ramires, eu brincava com um renovador das ocorrências, que tinha sido Lantânio, fazendo dele um joguete de recordação a fim de que o povo visse o exemplo dos seus clamores mais abafados. Madame Góes, por sua vez, tinha os olhos voltados para ainda mais longe, fixos num mundo onde habitava este boneco que ela vestiu para se parecer com um messias de chupeta, pronto para a cruz, um atinado ingênuo e inocente, capaz de redimir a todos com a singeleza de um aceno miraculoso. E a verdade é que nas duas versões desse brinquedo de pano e corda ainda cabia a semelhança com outro menino que, fadado a mergulhar de motocicleta nas águas de um lago imundo, tivesse, antes, um momento de sossego, adivinhando no colo do pai a linguagem gemida e mais simples de velhas buganvílias.

# Terceiro caderno

*O tempo, o que é o tempo?*
UM PADRE

A sujeira foi grande, o carnaval passou feito um tufão. Os casados se misturaram aos solteiros, ninguém via diferença entre jovem e velho. Quem preste atenção ao muro das casas aqui de cima vê o estrago, as pichações, marcas de bebida e urina escorrendo das paredes para as calçadas, rua abaixo, rumo ao Recife. E com isso, também o cheiro. É engraçado que nessas grandes festas a vida se assemelhe mais à de um cão emplumado, ladrando além da sua potência, bebendo das poças e se aliviando onde lhe der vontade, sem o risco de um pontapé. Se todos fazem igual, quem vai lhe barrar a vez no desafogo do baixo-ventre?
    Doutor Ênio inclusive deixou a clínica sem ter podido colocar em prática a morte do místico Lantânio, pois as calçadas da frente e de trás passaram ao domínio da turba. Entramos novamente, no dizer de madame Góes, a viver no intervalo de uma Bíblia sem Jesus. Quase repeti isso ao Ramires, apenas para ver o rosto dele se contorcendo de reprovação. No dia em que essa energia toda fosse canalizada para a melhoria do povo, estaríamos salvos. Quem nos dera, hem, Jurandir? Foi só isso que ele comentou sobre o feriado. Mas decidi não meter a sabedoria de madame Góes no assunto. Então passamos a discutir a informação que ela tinha me dado a respeito do talento do enfermeiro para o baile de salão.

Madame Góes inventa o que quer. Não acredite nela, pelo amor de Deus. Dançar nunca foi do meu feitio, o Ramires rebateu.

Confesso que fiquei decepcionado. Dado o costume que ele tem de, quando está de folga, andar sem camisa, trajando um bermudão, achei provável a tal valsa com uma ricaça, ele bebericando do uísque dela. Afinal, oferta nenhuma precisa ser recusada. Mas o Ramires levou a sério essa história e quase se melindra com minha insistência. Então mudamos de assunto e perguntei pelo capitão que nos contou o caso dos comunistas presos em várias partes da cidade. Disso eu queria saber. O Ramires falou que aquele homem não era capitão coisa nenhuma. Estava vestindo o uniforme de vigia noturno da Associação Espírita, aqui da rua, os tais da parede escavada pela reforma de doutor Ênio. E discutindo com um bêbado que passava em frente durante sua ronda, ele perdeu a paciência e foi às vias de fato, tendo nisto cortado a mão num tapa que deu no bêbado de boca aberta. Segundo o Ramires, foi sangue. Porém, só do vigia, que logo correu para a casa do enfermeiro buscando uma atadura. E justamente ali eu fui pisar.

Enquanto conversávamos, o Ramires passou a chamar seu colega de capitão, zoando comigo, tirando graça com minha desconfiança daquela patente, que atribuí sem razão ao seu vizinho de turno.

Em todo caso. A farda pode ser que não seja verdadeira, mas a história é, eu disse. Ou não é?

Ele confirmou que era. E essa história é a seguinte. Odilon Nestor, vocês devem lembrar dele, é conhecido de todos como um dos maiores comunistas daqui, tendo sido, aliás, um dos homens de confiança de Luís Carlos Prestes. A polícia queria sua detenção por conta de crime contra a ordem política e social, o qual era ele ter ajudado a pôr em funcionamento um partido político dissolvido por força de arranjo legal. Quando Prestes foi preso, Odilon foi dos primeiros a desaparecer. Deram o homem como morto, mas a verdade é que este não foi o caso. Odilon veio reaparecer aqui perto. Disse o Ramires que a polícia andava empenhada na tarefa de descobrir as atividades dos elementos ligados ao Partido Comunista Russo, que aqui se mobilizou fazendo funcionar, em regime clandestino, o Partido Comunista Brasileiro. Nas suas investigações, os agentes concluíram que a sede deles ficava num dos sobrados com aspecto de abandonado próximo ao porto, uma vez que ali de vez em quando entravam e saíam elementos de proa dos comunistas locais, sempre acompanhados de outras pessoas e conduzindo muitos pacotes. Convencida de que aquele devia ser mesmo o lugar correto, a polícia fez suas diligências e, em outubro passado, na manhã de um sábado, perseguiu e prendeu Odilon Nestor, reconhecido por uma antiga foto de jornal.

    Dessa história, a parte de que mais gostei foi quando os agentes flagraram o comunista na rua da Aurora, trancando seu automóvel, um DKW branco, fora da via e com isso quase provocando a queda dele no rio. Depois de lhe darem voz de prisão, constataram que Odilon trazia uma maleta contendo no seu interior mais de trinta pentes de fuzil, seis espoletas para granada, sendo três de mão, vivas, dois petardos e dois instrumentos ainda hoje não identificados. Preso e interrogado, o comunista conduziu os agentes ao sobrado do porto, onde a polícia acreditava que funcionasse a sede regional. Lá, outros três foram algemados e os agentes logo procederam a uma perícia grafoscópica, a fim de determinar se alguma das mais de cem autobiografias encontradas no recinto havia sido escrita pelo acusado mais importante, ou seja, o próprio Odilon Nestor. Queriam saber absolutamente tudo a respeito dele.

* * *

Por curiosidade, perguntei ao Ramires quantos foram. Quantos eram eles?

Quantos eram o quê, ele disse.

Os agentes de polícia.

Sei lá, Jurandir. Dez. Uns dez ou quinze.

Quinze homens para pegar um só?

O Ramires ficou irritado. Odilon Nestor é considerado muito inteligente, ele falou. Além de difícil. Fazia tempo que procuravam por ele.

Em todo caso, quinze é demais, eu disse. Se sabiam onde era a casa, bastava um agente armado esperar por ele detrás da porta e render o suspeito ali mesmo. Pronto. Fim do tal Odilon Nestor.

Mas se ele andava com um arsenal. O que é que podia um polícia armado de revólver? E mais, o Ramires disse. Odilon não devia estar ali sozinho, por conta própria, porque vai sempre acompanhado dos camaradas e de vários secretas. Gente sempre querendo lhe fazer um favor.

Bom, naquele dia parece que ninguém lhe fez favor nenhum. Deu azar.

Mal acabei de falar isto, o Ramires perdeu a compostura. Ficou abalado. Disse que eu estava insinuando que os próprios companheiros haviam entregue à polícia o seu cabeça. E por que eles iriam fazer isso?

Esse era um tema sensível para o enfermeiro, resolvi maneirar. Não digo que tenham vendido o comparte, falei. Mas alguma coisa deu errado naquela camuflagem de Odilon. Porque a verdade é que ali ele se viu encurralado por causa de uma simples fotografia de jornal. É somente isto que estou falando. Se não foi traição, foi incompetência deles.

Você não sabe de nada, Jurandir. Que loucura. De nada disso que você acabou de falar, você sabe. Ou sabe? Como é que pode saber?

Praticamente todos aqui conhecem o Ramires melhor que eu. Sabem que ele, grande e branco como é, na verdade pertence ao tipo dos sanguíneos. Quando se emociona, fica vermelho dos pés à cabeça. Foi o que se passou ali. O enfermeiro me repetiu várias vezes que eu não sabia de nada, que não podia saber, mesmo que quisesse. Decidi não lhe dar mais corda nessa fantasia. Lembrei que já eram quase 18h e que seria melhor evitar o atraso para não levar outra recriminação de doutor Ênio. No momento em que mencionei este nome, o Ramires saiu do transe. Mudou o jeito de falar e voltou ao humor correto. Julgo que apenas por causa disso conseguimos caminhar lado a lado, até a cozinha, sem comentar nada de política. Lá, fomos encontrar madame Góes trajando aquele avental pintado à mão, com a imagem de várias salsichas e a cabeça enorme de uma galinha. Também aí não havia muita lógica. Ela se virou para nós dois e pareceu espantada. Disse que eu tinha chegado cedo, que pela primeira vez não ia ser o último ali à mesa, então sorriu. Ao passo que eu e o Ramires apenas ficamos calados.

As brincadeiras de meu filho não eram as típicas minhas, as brincadeiras de meu tempo de criança. Ele preferia estar com caminhões, ferramentas, rolos de corda. Gostava de rádios e televisores. Uma vez desmontou um aparelho telefônico apenas para ver o que tinha ali dentro. Não tinha nada, só os fios e uma campainha de latão em forma de concha, que trina quando se recebe a chamada. Por essa época, quando ele ficou maiorzinho, deu para me chamar de Jura. Não sei como contar isto, mas o que quero dizer é que, na inocência dele, sem saber usar meu apelido de modo apropriado, às vezes ele me fazia recordar meu tempo de juventude, eu namorando Heloísa ou, antes disso, correndo atrás de Marco Moreno, gritando o nome dele e ouvindo o meu gritado de volta. Pois, houve um período em que Marco e, depois, Heloísa também me chamavam de Jura.

Enfim, aos poucos esses apelidos vão desaparecendo e ninguém se lembra deles. Ficamos mais velhos, com um ar sisudo. Isto, pelo menos, na aparência. As pessoas veem um fio de cabelo branco, não vão tratar um senhor ou uma senhora por um termo de zorra ou com familiaridade. Deinha, Pulga, Chupeta, Jiló, Moreia. Aí estão alguns dos meus colegas de infância. E agora, na idade, como serão? Preferem ser chamados por qual nome? Pelos apelidos, duvido, já que hoje são homens e mulheres com profissão e filhos.

Lembrei disso porque, na balbúrdia do carnaval, uns rapazes chegaram aqui perto, na frente, e começaram a gritar. Gritavam rindo, para a casa do outro lado da rua, chamando Huguinho, Huguinho, o gelinho, Huguinho. De repente sai um velho engelhado de dentro da casa, põe a cabeça e depois o corpo para fora da porta, com a cara amarrada. Pois o tal Huguinho mora bem, num sobrado de bom aspecto, e na época das festas vende água, cerveja e gelo, mas vai pelas ruas sempre maltrapilho. Madame Góes reclama até do cheiro dele, que, segundo ela, nem precisa chegar perto para sentir. E os garotos, eu acho, tiravam aquela graça do velhote com talhe de carranca porque ele trazia para fora de casa, mediante um apelido de menino, as bolsas de gelo que iam refrescar o eterno apetite etílico dos foliões.

Quem quiser, faça uma coisa. Diante do espelho, olhe nos olhos e repita duas ou três vezes aquele seu nome de infância. Jura, Jura, isto no meu caso. Vão e façam igual, qualquer coisa lá dentro se abre. Na vertigem dessa palavra vão voltar, tenho certeza, de bem longe as cenas de um tempo adormecido, o começo das coisas, momentos que passaram sem se fazer notar, com gente que não nos pedia nada em troca. Eram apenas o que eram. E não deixa de ser incrível que uma centelha disso tudo sobreviva nas cinzas de um mero apelido defasado.

Agora chego aonde realmente queria chegar, no que ficou faltando. Jura, também assim era como me chamava Minie, mas só às vezes. Um dia fomos do verdão direto para o apartamento dela, logo no começo de tudo, quando demos aquele salto adiante e as coisas mudaram tão repentinamente que, dias depois, não podíamos mais conceber como era que tinha sido a vida antes daquilo.

Apaguei o cigarro e entrei. Minie veio atrás, fechou a porta e se virou para mim.

Não sabendo o que dizer, perguntei uma coisa. Ainda tem um pouco daquela pasta de parafina?

Acho que sim, ela disse.

Estávamos ali e, como falei, era o começo. Relembrar esse momento me traz agora a sensação de um bálsamo. Eu vivi mesmo aquilo, tive sorte. E digo que tive sorte porque nossa diferença de idade contava, e não era que eu andasse procurando ninguém. Menos ainda, moça nova. Mas bati o olho nela e passei a acompanhar suas idas e vindas pelo quarto andar do verdão. Não sei se ela notou ou quando notou, o fato é que logo começamos a almoçar juntos. Minie tinha senso de humor, era diferente. Sem medo de patrão ou das pressões que a opinião dos colegas sempre exerce. Pois, durante os poucos meses que durou essa amizade em estado bruto, eu não ia imaginar que, depois, naquele dia, na nossa primeira vez, com a porta recém-fechada fôssemos nos dar as mãos tão rápido, um para o outro, como uma chave elétrica que grudasse no contato. Como se tivéssemos acertado isso de antemão, naquelas conversas ao pé do filtro da copa, no quarto andar.

Minie estava com um vestido alaranjado, de alças. Demos as mãos e ela disse, ah, meu Jura. Foi assim mesmo. Tirou o apelido da própria cabeça, sem saber de seu uso pregresso. Por acaso estava estampado? Mas o principal foi o tom que Minie deu ao nome, como uma nova camada de tinta que ela pusesse ali em cima. Pronunciou como uma rendição sussurrada. Deu à palavra uma naturalidade imensa, mesmo sendo aquele, para ela, o batismo complicado da nossa primeira intimidade. É difícil pôr aqui os detalhes de tamanha ternura, já que ela própria nem deveria ter existido.

Retribuí o tom de Minie com um abraço, então ficamos ali um tempo, eu sentindo o seu perfume e aqueles cabelos curtinhos, ela de costas para a porta, quase escorada ali, como se fosse atender a campainha para receber mais gente.

Até hoje me pergunto por que foi que nosso primeiro beijo de língua só saiu depois. Não creio que esta seja a progressão natural das coisas, o que me prova o fato de estarmos, naquele instante, em ritmo de exceção. Não havia plano nem zelo, também não tínhamos o hábito um do outro. E essa liberdade total veio a ser um vício difícil de largar. Descolamos do abraço e eu olhei a minha amiga nos olhos. Quis entender que ela também queria aquilo, então deixava. Ficamos calados. Inclinei a cabeça um pouco e desatei uma alça do vestido. Não tinha mais coragem de olhar Minie novamente no rosto, um pedaço dela ali, agora nu, para mim. O vestido baixou meia banda, até quase a cintura. Vi a marca clara do maiô, onde o sol não encostava na moça, e no meio dela a ponta do seio com sua auréola escura. Tudo isso passou tão rápido e, no entanto, agora revejo o momento com a lentidão de uma lua. Desci com a boca e comecei a lhe beijar o mamilo, mordendo o quanto pude aquele bico aflorado para mim.

Quanto tempo isso durou? Vinte minutos, quatro anos. Que me importa mais medir essas coisas?

Lembro que, depois, Minie me chamou para dentro do quarto e estirou em cima da cama uma manta verde. Nestas circunstâncias a naturalidade é coisa rara e difícil. Mas ela sempre tinha à mão as suas precauções, e essas precauções chegavam no momento certo, sem embaraço nem contratempos. Hoje, chega uma hora em que não aguento mais reordenar esses detalhes, rever a sequência das coisas. Todos vocês sabem que a revelação da intimidade é algo que requer tempo, confiança.

Na cama deitei Minie de costas e fiquei por cima, com cuidado por causa do meu peso. Ela é miudinha, parece um garoto de escola. Deitei nela e comecei a procurar. Ela afastou mais as pernas. Cheirei seu pescoço e vi ali ao lado a tatuagem na descida do ombro direito, em direção às costas. Já tinha visto aquilo antes. Era um cavalo-marinho esverdeado, que agora estava de frente para mim, me olhando com aquela expressão curiosa. Beijei várias vezes essa figura e, enquanto entrava em Minie, comecei a lamber o sal daquele animalzinho que me acenava mergulhado dentro da pele de minha amiga. Digo apenas que, após nosso encontro, quando então me aliviei, prontamente quis saber de Minie se ela precisava de um copo d'água ou que eu fosse buscar papel no banheiro. Ela disse que não. Ficou ali um tempo, de bom humor. Depois levantou e foi fazer alguma coisa no quarto, de que não me lembro, e só então saiu para se lavar. Foi caminhando completamente nua, era a primeira vez que via Minie assim, pelas costas, inteira, desprovida das roupas, indo dali adiante com a precisão ligeira dessas pernas, que agora me pareciam tão compridas.

Com essa tranquilidade, sem mostrar vigilâncias nem forçar absolutamente nada, ela fazia de um grande erro algo que nos chegava, de repente, como um bem durável e doce demais.

Porque Minie gosta muito de dançar, o carnaval este ano me lembrou dela. É natural. Então, para tirar essas impressões da cabeça, ainda durante o feriado fui até a estante de doutor Ênio e escolhi um livro de mistério, um recomendado por outra paciente que também gosta de ler. Creio que o nome dela é Joana, ou Hosana, não tenho bem certeza.

Uma noite dessas, após o jantar, subi a fim de continuar a leitura. Para minha frustração, logo veio o Ramires, que bateu à porta, colocou a cabeça para dentro e disse que tinha uma última novidade sobre o caso.

Que caso, meu caro, perguntei. Eu já tinha deitado na cama, com o livro no colo.

O de Odilon Nestor.

Ah, eu disse, e fiquei calado, sem querer lhe dar espaço para outro debate político.

Mas o Ramires tinha acabado de saber que, lançando mão de um plano mirabolante, que incluía entre outras coisas uma bolsinha plástica com sangue de carneiro, o comunista havia escapado da sua cela mais recente, lotada na carceragem da delegacia da Polícia Federal, perto do porto.

Deu no rádio, ele falou. Odilon está livre.

O rosto do Ramires brilhava com um sorriso imenso. Antes que pudesse responder, ele tirou a cabeça da fresta da porta e bateu o trinco. Fiquei irritado com essa invasão, e com a escapada rápida, mas ao mesmo tempo senti um grande alívio por não precisar discutir o assunto novamente. Continuei a ler meu livro, a história de um caso de morte na chamada Mesopotâmia. Abri a página em que havia parado e voltei àquele mundo onde a investigação era realmente coisa séria e os bandidos, mais sofisticados. Com a leitura perdi a conta das horas, ansioso pelas pistas que o investigador ia coletando ao longo das conversas com vários suspeitos, todos envolvidos na questão da escavação de tumbas antiquíssimas. A trama trazia detalhes de países distantes, alguns totalmente cobertos por desertos de areia, e aquela gente de sociedade matando e morrendo por nada, discretamente, cada qual com sua culpa, com alguma razão para ter cometido o crime. Tudo isso me tirava a cabeça das memórias e também da situação diária, insossa, na qual me encontrava. Dei graças por ter escolhido essa história.

    Não sei a que horas fui dormir, mas era tarde. Fechei o livro, tirei a camisa e fui lavar o rosto. Depois arrumei minha mesinha de cabeceira e antes de deitar olhei uma última vez pelo basculante da rótula que dá para o porto. Algumas nuvens grandes, amareladas pela luminosidade que vinha de baixo, flutuavam entre o céu e o mar. Tudo estava muito quieto, então fui deitar.

Sonhei que morava num palácio e que era o amante de uma rainha famosa. O sonho começa num quarto bonito, onde havia duas camas. Na primeira estava a rainha, que já era madura, na segunda estava eu, que era mais jovem do que ela e tinha uma beleza fora do comum. À noite eu tinha tido uma relação com a velha rainha, porém, de manhã ela me pediu outra. Fez isto não pedindo diretamente, mas dando a entender. Não podendo desagradar, atendi suas vontades. A relação foi incômoda para mim. Após o clímax, entraram algumas empregadas no quarto, trazendo bastante comida, pratos deliciosos e bem elaborados. A rainha rejeitou tudo, aborrecida, pois dizia que já era tarde, passava das 11h. Se tomasse café, não almoçaria. Eu, de minha parte, examinava as bandejas e esperava pela minha vez, porém as damas só faziam me olhar e não me serviam nada. Essa situação continuou por um tempo, na suíte do palacete, onde havia várias moças bonitas que facilmente se apaixonavam por mim.

A cena muda. Estava em casa, na minha cidade, e ia andando com outras pessoas, quando, de repente, vi uns soldados no alto de um morro. Estávamos em guerra. Corri para dentro de um casebre. Trajava as calças de um fardamento qualquer e uma camisa de meia. Chegaram algumas pessoas importantes, quase todos militares, então fui falar com um dos oficiais que despachava por trás de um birô. Ele me perguntou se eu era algum superior dele, para vir lhe falar assim, sem cerimônia nenhuma, ao que lhe respondi que não e logo bati a continência necessária. O militar aprovou a reforma da minha atitude.

Agora sim, Jurandir. Pode falar, ele disse.

Durante a conversa, fiquei muito tímido. Relatei a ele qualquer coisa, mas não lembro o quê. Quando finalmente chegaram algumas pessoas conhecidas, saí dali. Na hora do almoço, me chamaram, porém não quis ir com eles. Almocei sozinho, o que não gosto de fazer. Tendo acabado meu almoço, subi para o último andar do verdão. Ventava tão forte que os vidros das janelas começaram a se quebrar e o prédio tremia. O telefone tocou e um empregado atendeu, disse que Heloísa recomendava que eu rezasse pelo nosso filho. Chorei, e o tal funcionário sorriu. Depois desci e me encontrei com Marco Moreno. Fomos a um médico tirar o pó de vidro que tinha entrado pelas minhas orelhas quando as janelas se espatifaram com o vento. No consultório Marco me falou uma coisa.

Jurandir, agora que finalmente seu ouvido está limpo, vou poder contar a história que lhe prometi, daquela moça que conheci numa viagem, ele disse, e começou a falar. Infelizmente ainda não conseguia escutar muito bem.

Então a cena muda de novo e, de repente, me acho num armazém onde tinha um ladrão. O ladrão estava roubando uma pilha de mercadorias que estavam cobertas por um pedaço de lona grande e preta. Não fiz nada porque na verdade eu era amigo do ladrão. Daí a pouco chega meu sogro, seu Constantino, que mesmo sendo mais velho, sobe na pilha e pega o ladrão. Eu, para não demonstrar que era amigo do criminoso, ajudei meu sogro na captura. Uma vez o homem preso, seu Constantino quis ir dar parte à polícia. O ladrão não se valeu da nossa amizade para se defender, apenas batia com o pé no chão, nervoso. Dado isso, tive uma ideia de como lhe fazer a defesa sem mostrar que éramos amigos. Abri um saco que ele tinha enchido de coisas e de dentro tirei vários molinetes e carretilhas. Mostrei a meu sogro, que logo ficou interessado, pois ele gosta muito de pescaria. Separei três carretilhas e perguntei ao ladrão quanto ele queria pelas peças. Sem me olhar direito, ele respondeu que, na situação em que estava, dava tudo de graça, e seguiu riscando o pé no chão. Concluí que ele estava prestes a me entregar. Disse que de graça não podia ser, e que daria a ele 100 cruzeiros por duas carretilhas ou 120 pelas três. Ele riu, porque sabia que o material era bem mais caro. Meu sogro, então, falando por cima, disse que eu deveria pagar 30 mil pelas três, que esse era o preço justo. Ficamos debatendo a questão, comigo irritado, sem conseguir ouvir nem falar direito, por conta do ruído que o ladrão fazia. Olhei para as pernas dele, para pedir que parasse e, espantado, notei que o ladrão estava machucado e tinha bandagens ainda meladas de sangue, porém suas pernas estavam imóveis, sem bater no chão. E mesmo assim o barulho continuava.

Pouco a pouco fui me dando conta de que o armazém tinha diminuído de tamanho e o teto não tinha forro, apenas caibros, ripas e telhas vãs. Olhei em volta e vi uma janelinha redonda, com uma luz pálida vindo de fora. Continuava escutando aquele ruído, muito embora nem seu Constantino nem o ladrão estivessem mais ali. Tenho certeza de que vocês conhecem bem o fenômeno que estou descrevendo agora. De um momento para outro me encontrei já de olhos abertos, deitado na cama, na clínica, ainda ouvindo aquelas pancadas surdas. Apurei o ouvido e me dei conta de que era alguém batendo e me chamando por trás da porta.

Que foi, perguntei, com a voz embrulhada, mas ninguém respondeu.

Escutei uns passos no corredor e fiquei irritado, me pareceu que, mesmo a folia tendo acabado, a clínica ainda estava em confusão. Quando fiz menção de me levantar, a fim de reclamar do barulho, ouvi um berro terrível.

Não Odilon, alguém gritou alto. Pelo amor de Deus, tenha pena dos pacientes. Era isso ou mais ou menos isso que diziam.

Estaquei na cama com os olhos na porta, que agora alguém sacudia querendo entrar. Não lembro quanto tempo se passou. Mas o desfecho revela bem a diferença entre os rigores do sonho e os da realidade, que quando misturados resultam obviamente na completa confusão da vida.

Aquela voz devia ser a do Ramires. Na vigília, me pareceu natural que fosse ele gritando. Não soube o que fazer. As pancadas na porta aumentaram mais. Ouvi passadas e outra voz falando numa língua que me soou estrangeira. Então de repente percebi o que estava acontecendo.

Odilon Nestor, após escapar da prisão, havia dado em Belavista. Minha desconfiança de que o Ramires e aquele seu colega, o suposto capitão, tinham simpatia pelo comunismo se confirmou. De fato, muitos na clínica andavam comentando abertamente as prisões de outubro, inclusive durante a ceia. O Ramires, entre eles, era sempre o mais animado. Resulta que agora aquele seu interesse pessoal colocava a clínica inteira em perigo, porque Odilon vinha buscar apoio para sua fuga justamente aqui.

Essas coisas passaram muito rapidamente pela minha cabeça. Só pude pensar em barricar a porta para impedir que Odilon entrasse, querendo talvez me fuzilar e assumir minha identidade. Rolei de lado e me acocorei no chão. Comecei a empurrar a cama de molas, mas os pés dela, de ferro, largaram um ronco rascante, cavando ranhuras no chão. Era óbvio que quem quer que estivesse do lado de fora teria ouvido esse barulho, pois, de repente, a porta abriu de supetão e levantei a cabeça, buscando ver quem era.

E era mesmo o Ramires. Eu tinha razão. Ele arreganhou a porta até o trinco tocar na parede e agora estava de pé, trajando sua bata branca, imóvel como uma estátua ou uma aparição dos espíritas.

Ficamos assim quanto tempo? É difícil medir esses instantes em que nos encontramos arrebatados pela expectativa de um golpe fulminante. Mas, então, o rosto do enfermeiro foi se abrindo, e notei um sorriso. Meu coração tinha disparado como raras vezes. Vinha pela rótula do quarto uma pouca luz azulada, que se espalhava pela madrugada afora. Ali, ao lado do meu joelho, estava o livro que eu lia sobre o crime em meio àqueles incríveis esquifes faraônicos e, também, o copo d'água no assento do tamborete, que acabei derrubando no pulo. Agora tinha uma poça no chão. O Ramires olhava para mim, enquanto eu seguia agachado com as mãos pegadas nas traves do espelho da cama, ela a meio caminho entre o canto da parede e a porta escancarada.

Então o enfermeiro começou a rir mais alto. A bem da verdade o que ele dava era uma gargalhada. Ora, Odilon não tinha escapado coisa nenhuma, ninguém escapa das mãos da Polícia Federal. Iam, com certeza, desaparecer com ele. Não resta dúvida de que eu tinha mais sorte do que o comunista preso e, no entanto, estava ali acocorado, fazendo esforço para encostar uma cama contra a porta do meu quarto a fim de barrar um fantasma. E isso, por quê? Porque o Ramires tinha resolvido me pregar uma peça.

    A raiva que senti naquele instante veio como uma chuveirada de pensamento racional. Fui montando, aos poucos, a artimanha do enfermeiro, que preparou meu espírito com aquela interrupção anunciando a falsa escapada de Odilon. Às vezes o Ramires não passava de um adolescente, só que grisalho. Ele pôde fazer aquilo porque doutor Ênio não estava ali, já tinha ido, e madame Góes dormia cedo. Também porque, àquela altura, nossa ligação andava cada dia mais forte. Conversávamos muito. Não fosse por isto, eu teria dado uns gritos nele. E muito embora tenha tirado o fato por menos, a presença de outros, ali, no corredor, posando atrás do enfermeiro, esticando os pescoços para me ver dentro do quarto, isso sim, mexeu comigo. Entre os curiosos reconheci Maciel, o tal rapaz que fez a parte do coronel na peça de doutor Ênio. Ele ria para mim, com seu rostinho moço e pálido, como se tivesse acabado de retocar o pó de arroz.

    Levantei e fiz um gesto para que o Ramires dispersasse o pessoal e entrasse.

    Ele veio e fechou a porta.

    Vá, empurre aqui. Minha perna ficou doendo, eu disse. Não está mesmo no seu turno?

    Então ele parou de sorrir e começou a colocar minha cama de volta ao lugar certo.

Tenho grande admiração por quem escreve. Minha curiosidade para ver como ia ficar a peça de doutor Ênio era enorme, todos sabem disso. Em parte por esta razão, desde o começo dei apoio à sua ideia, logo que ele passou a me perguntar mais e mais sobre como era a vida que eu levava antes, como tinha sido meu tempo de menino, no interior, ouvindo histórias de gente como o místico, um homem que de todo seu isolamento conseguiu alcançar uma fúria enorme, maior do que a de qualquer habitante da cidade grande. Doutor Ênio estava interessado nisto. E creio que ficou ainda mais interessado quando notou que muitas das almas-grátis, como eu, vínhamos de longe, trazendo de lá apenas a roupa do corpo e casos semelhantes ao de Lantânio.

E para ele, qual tinha sido essa vida cheia de revoltas?

Na peça de doutor Ênio, ele diz muito bem uma coisa que eu não sabia. No instante em que aquele jovem coronel, que era gente dali, da mesma região que Lantânio, prende o místico, eles se encaram por um tempo, reconhecendo naquele encontro os dois caminhos possíveis e opostos, traçados por cada um. Carmelo, o coronel, vinha para dar cabo da seita dos místicos. Chegava naquele lugar como o batedor das hostes revoltadas, muito embora fosse ele próprio um dos matutos. Tinham escolhido um jovem de patente recente para entregar os seus patrícios. Só os amigos traem, me disse o Ramires. Penso que doutor Ênio queria nos mostrar justamente isto. O confronto entre as duas partes da mesma força. A chegada do traidor da raça. Um rapaz que passou das procissões interioranas a cruel caçador dos seus iguais. Maciel, o jovem paciente risonho, empoado, não tinha a menor ideia do que fosse uma vida assim.

E sobre Lantânio a peça de doutor Ênio diz que ele nunca falava, a não ser quando perguntado. Em vez, vagava em silêncio, sua aparência era ao mesmo tempo esquisita e retumbante no que ele ia para cima e para baixo, com sua longa túnica azul sem cordão, parecendo ainda mais magro do que era, e mais destroncado. Seu chapéu de peregrino, pendurado por uma guita ao pescoço, e as sandálias, os olhos fixos, tudo dava a esse homem a aparência de um messias do tipo oriental. E numa mochila sacudindo em volta do peito ele levava papel, tinta e canetas, um missal e um livro de horas. E o pio Lantânio às vezes chegava às alturas, soava interessante pela extravagância de seu credo, pelo fervor do seu sistema. Na prédica, apertava os olhos azuis como o miolo incandescente no pavio de uma vela, e dizia. Na nona hora, pousado no monte das Olivas, um dos Seus apóstolos perguntou ao nosso Senhor, Senhor, que sinais nos dais a fim de que nos preparemos para a diluição do mundo? E Lantânio disse que o Senhor lhes respondeu. Darei muitos sinais na lua, no sol, nas estrelas. Um homem pio virá mandado por meu Pai. Ele pregará de porta em porta e lançará cidades nos desertos, igrejas e capelas nos desertos, e este homem vai aconselhar os outros homens. Louvado seja o Senhor. Morte aos ídolos. Palavra da Salvação. Foi isso que disse Lantânio.

Na tarde em que Carmelo ordenou a degola, ele próprio foi visitar o preso em sua cela improvisada no acampamento de batalhão, com varas de algaroba, lona e couro, com duas sentinelas por porta. Segundo doutor Ênio, o jovem coronel dispensou as sentinelas e entrou sozinho. Deixou o vão de lona sem o nó de fora. Não queria ajuda, parecia descuidado, o coronel. Esperando talvez que o místico fosse correr dali buscando retomar longe a própria vida, fora das cidades, escondido daquela milícia que havia trucidado sua paróquia de fiéis, o seu bando, conforme diziam. Talvez o coronel quisesse assistir a essa fuga e lutar com o místico braço a braço, com os nós dos dedos cerrados, e bater no velho como quem bate numa boneca ou num irmão mais novo. Mas Lantânio saiu caminhando lentamente, vestindo sua roupa de peles, como um São João Batista, um urso tocado pela eloquência mais extraordinária, e assim partiu devagar por cima de um chão de pedras calcinadas, caminhando sem sandálias na areia fervente entre arvorezinhas carbonizadas, mostrando os olhos como duas moedas estampadas em folha de flandres. E ali, a cem metros de sua cela de pau, corda e couro, com Carmelo ainda lá dentro, observando do conforto da sombra o caminho que o místico fazia, lá ia ele, Lantânio, o homem feito só de espírito, inconsciente de qualquer lei, eu acho. Doutor Ênio disse. Estava na peça dele. Então o jovem Carmelo saiu armado de um facão que os batedores usam para abrir a mata, e lá foi, até o místico, e sentou numa pedra ao lado dele, com Lantânio de pé. E os dois conversaram fixados um no outro durante o tempo de um dia e uma noite.

Eu e o Ramires ficamos debatendo essas figuras. Depois, uma vez que ele colocou meu quarto novamente em ordem, saímos para fumar. O enfermeiro destrancou a porta da frente da clínica e sentamos ali mesmo, na calçada. Ele logo começou a me contar uma piada que reflete bem a variação dos seus humores. Passou rapidamente da política para a consideração da vida prosaica, olhando uma senhora que, àquela hora, tão tarde, passava em frente com uma imensa trouxa de roupas na cabeça. Ela ia caminhando apoiada numa vareta. Acho que a cena trouxe qualquer coisa ao enfermeiro.

 A história que ele me contou era mais ou menos assim.

 Uma velha quase cega estava só, cedinho na madrugada, quando de repente percebe um vulto masculino passando pela porta de sua casa. Devagar, ela pula por detrás dele e, sem ser vista, agarra com força os testículos do homem. Quem é que está aí, ela pergunta e fica esperando, mas não escuta nenhuma resposta. A velha então aperta mais e grita no ouvido do homem, quem é, diga quem é. É melhor falar logo, ela diz, e dobra a força nas unhas da mão. Daí, com pouco mais, ouve um gemido e o homem finalmente começa a falar. Cação, ele diz, com a voz desfiada, rouca, parece que vinda de um poço. Cação quem, ela diz, querendo saber mais. Cação, quem, hã? E começa a girar a mão ainda agarrada com força nos testículos do homem. Ele solta outro gemido e então explica. Cação, o mudinho, ele diz. O mudinho que entrega o leite, senhora.

O Ramires mal conseguia acabar a última frase da piada. Ele ria pelo meio, prendendo o volume para não acordar mais gente. Por isso tive dificuldade em entender o desfecho. Era o mudinho, Jurandir, ele disse. Entende? E só então ri com o enfermeiro. Na hora realmente achei graça, depois nem tanto. Essa piada tinha sido inventada por um colega dele, um tal Tomé Silva, e, segundo o Ramires, era tão boa que foi estampada na contracapa de uma revista masculina. Ele disse que ia me mostrar a publicação, com outras piadas que não eram tão boas quanto a do seu amigo.

Na ocasião, depois que rimos, ele ficou olhando para mim.

Não sou bom para piadas, eu disse.

Que nada, Jurandir. Você vive contando todo tipo de coisas. Até junta gente para ouvir.

Mas piada eu não sei contar.

Acho que sim. Claro que sabe, ele disse.

Estou dizendo que não sei, não consigo lembrar de nenhuma. Admiro quem tem esse talento, falei.

Para minha surpresa o Ramires começou a relatar alguns dos casos que já contei na clínica, na hora da ceia ou, então, em grupos menores, na sala da frente e ali na calçada. Ele disse que muitos até me chamavam, pelas costas, de língua de trapo. Que minhas histórias eram referidas com graça, mesmo as que eu contava na seriedade.

    A notícia me deixou mal. Passei em revista, de cabeça, algumas das coisas que relatei em Belavista. Eram casos de meu amigo Marco Moreno, dos acidentes na tecelagem e, também, das tiradas de Minie, na coragem que ela tinha de ir contra a falação dos colegas no verdão. Apenas nunca me referi ao nome dela. Entendi que agora tiravam graça de mim, mesmo sendo, isso tudo, matéria para ser tomada como lições que a experiência nos dá.

    Permanecemos do lado de fora, na calçada, deixando passar as nuvens, e me encostei na parede da clínica. O Ramires, percebendo como eu tinha ficado, fez silêncio. Não sei quanto tempo continuamos assim, olhando o céu, as ruas vazias. A lua já tinha baixado um pouco mais e o casario estava embebido numa penumbra púrpura. A disposição das pessoas para fazer chicana com a vida alheia era realmente um fato inevitável. Que eu tenha contado a muitos de vocês detalhes da minha intimidade, ou de meus encargos no cotonifício, tal fato não autoriza ninguém ao uso disto com o fim de animar rodas de salão. Língua de trapo? Era incrível. O Ramires disse que eu não tomasse ofensa com esse tipo de coisa. Que todos estavam ali para melhorar, e que era bom rir um pouquinho da vida, ou não?

    Rir como? Rir de mim, não é? Só se for isso, eu disse.

    Rir de todo mundo, Jurandir.

    Veja bem, meu caro. Tudo, menos a empulhação, ouviu?

    Que é que há, colega. Deixe disso, ele disse.

    Língua de trapo é você, Ramires. Pense bem. Veja se não é.

O enfermeiro veio com a mão até meu ombro e pousou ali. Colega, ele disse.

Não respondi a isso. Fiquei pensando em todas aquelas coisas que eu já tinha referido às pessoas nesses meus meses fora de casa, tentando, com muita paciência, melhorar e ajudar os outros na sua melhora. As compras com madame Góes agora eram parte de minha rotina. Subia e descia com ela pelo menos uma vez por semana. O que antes tinha sido um favor, agora virou um ofício do qual nunca reclamei. Também ajudei doutor Ênio na peça dele, contando e corrigindo qualquer coisa a respeito do interior, das crenças de lá, agregando, o quanto pude, os detalhes sobre como Lantânio é lembrado pela gente do sertão. Doutor Ênio inclusive copiou para dentro da peça uma cançãozinha que lembrei uma noite dessas, após anotar meus sonhos, e à qual me referi durante uma das entrevistas. Então, penso que transformar minhas memórias em troco de conversa fiada é injusto. Quem sabe medir a dor dos outros? Nem os padres sabem. Os médicos não têm a menor ideia, e isto é um fato. Resta apenas a atenção que prestamos um ao outro, o ouvido sempre atento às queixas do amigo, a mão amparando aqueles com menos condições. Madame Góes, nisto, está certíssima. A solidariedade, coisa rara, instilada no espírito durante as circunstâncias de uma guerra, separa a humanidade da desumanidade. E a verdade é que somos irmãos apenas na desgraça. Concordo inteiramente com ela.

Deus é mais, Jurandir. É isso que madame Góes costuma dizer. Então repeti esse credo ao Ramires, e ele logo reconheceu a fonte.

Não me venha com essa tal, ele falou. E tentou meter ainda uma última farpa na balaustrada daquela noite alta. Disse que eu fosse contar aquela piada da velha à própria madame Góes. Perguntei por quê. Ele disse que era porque a moral versava sobre um milagre, e ela ia gostar disso. Afinal, o mudinho falou. E o Ramires novamente riu daquilo.

Fiquei parado, com a mesma expressão de antes, só para ver o enfermeiro perder a graça. Ele notou que tínhamos entrado em outra etapa da conversa e que algo ali estava por um fio. Penso que percebeu isso sem que eu precisasse lhe soletrar o sentido das coisas. Ele era a pessoa mais próxima a mim em Belavista e, mesmo assim, situações como aquela marcavam o abismo que de vez em quando se abria entre nós dois, apenas para que tentássemos outra vez o terreno comum de uma risada em coro.

De novo calamos um tempo. Refiz as coisas na cabeça e decidi que aquele era mesmo um momento que exigia pormos os pingos nas letras que pediam pingos. Vamos lá, Ramires.

Lá, onde?

Na cozinha, meu caro. Estou com sede.

Tudo bem, ele falou, e veio atrás de mim, esfregando as mãos.

Chegamos e sentamos em dois tamboretes ao pé do balcão. Eu já tinha tirado de dentro da geladeira uma garrafa de Coca.

Ele se espantou. Como é que você achou isso aí?

Escondi faz tempo.

O enfermeiro olhou para mim, incrédulo.

Por enquanto, eu disse. Escondi por enquanto. Agora me deu vontade.

Está certo, ele falou, e foi para o seu banco.

Mas não se chateie, Jurubeba. Ouviu?

Ô Ramires. Eu não gosto de apelidos. E você sabe, eu disse.

Então ele ficou calado.

Toda essa algazarra, o espírito trocista do enfermeiro, atribuo em parte aos efeitos recentes do carnaval. Realmente, qual era o limite da nossa amizade? Eu ainda estava chateado com a invenção da fuga de Odilon, com a notícia que ele me deu, sobre me chamarem de língua de trapo, e também com aquela piada. As histórias da família de Marco Moreno Prado agora iam reduzidas a refolho igual ao caso estúpido daquela velha cega que esganiçava o membro de um leiteiro mudo. Tudo era motivo de chacota. Onde estava a grande seriedade da capital, palco de tantas revoluções? Então começamos a conversar num tom severo, ou num tom que dei às minhas perguntas, que agora eram mais severas. Quis saber do enfermeiro, afinal, o que era cada coisa. Qual tinha sido invenção e qual, realidade. Pois, por exemplo, o Ramires não dançava, embora todos acreditassem que sim. O capitão não era capitão, era vigia dos espíritas, vizinho nosso. E as almas-grátis não são realmente grátis. Madame Góes tinha me dito que Belavista recebia diárias por cabeça, que cada uma agregava ao orçamento de doutor Ênio uma soma que, juntas, pelo volume dos novatos agora lotados em quartos coletivos, imagino, devia ser uma soma considerável. Nada provou ser o que parecia a princípio. E ninguém dizia ao colega o que pensava. Prova disto foi o fiasco da peça, para a qual todos juravam estar preparados fazia tempo e, na hora, fomos por água abaixo. Ninguém estava pronto, nem sequer os bonecos. Não me surpreende que doutor Ênio tenha deixado a clínica por uns dias. Belavista, navio de doidos. Repeti esse dito do advogado espírita. A acusação tinha qualquer fundo de realidade.

Que absurdo. Você está exagerando, o Ramires disse. Ele quis me interromper, mas fiz que não.

Notei a forte impressão que causava ao enfermeiro essa atitude de me destacar da cena, provando ser coisa diferente do ramerrão da clínica, seja o dos antigos ou o dos novatos. Neste aspecto, o Ramires me dava corda, deixava à mostra sua expectativa de que eu fosse me enrolar na seriedade da conversa que eu próprio jogava para cima dele, mudando da política para a psicologia irresponsável e plenamente individual de todos os ali referidos.

Mas a verdade é que são muitos os fatores que contribuem para um estouro. Antes de qualquer explosão, reina a hipnose da calmaria. Assim me disse um engenheiro da tecelagem, e ele está certo. A empresa tinha um nível de disciplina muito maior do que a clínica. Eram quatro mil funcionários ao todo, sendo cento e trinta apenas no verdão. Por isso, de repente, a vida aqui, na cidade alta, em cima da capital, tão perto e tão longe do quê das decisões, me pareceu desorganizada demais. Era aquela mesma musiqueta de antes, a minha vida não está aqui.

Ramires, você não tem a menor ideia, eu disse. Não sabe nada a meu respeito.

Que é isso, Jurandir?

Sabe nada, eu insisti.

O enfermeiro sacudiu a cabeça.

Pensei em ir mais longe na conversa. Cumpria agora lhe contar o resto, dizer a ele que eu deitava uma moça e enfiava nela por trás, lambendo nas suas costas a imagem de um bicho do mar. Eu, que tinha uma mulher leal, tranquila, conhecida minha de uma eternidade e que ainda me fazia a bolsa para as viagens e organizava a casa com um quarto novo, há pouco retomado da memória de nosso filho, onde eu anotava coisas minhas e do verdão. Dizer também, ao Ramires, que do verdão parti para cá na promessa de resolver uma contenda entre o sindicato e a empresa, e vim em carro desta, numa perua nova e na qual ateei fogo morro abaixo, num momento que me parece hoje obscuro, com razões mais distantes que aquelas do pavio aceso na garrafa de Coca, e o automóvel estourando longe, mudando de cor, enegrecendo ao pé do monte de onde desci a pé, pela rodovia, até me apanharem já perto de Jaboatão dos Guararapes. Isso mesmo, Ramires, na sua terra. Não acredita em coincidências? Pois eu também não. E mesmo assim nunca pensei que o acaso fosse me colocar, ainda menino, ao pé da primeira ladeira, ali, em minha cidade mesmo, com o joelho partido ao lado do filho de quem ia ser o homem por trás do verdão, o meu empregador pela vida, a mão que primeiro me trouxe ao Recife, tempos atrás. Já estive no Recife. Vi como era. Vivi aqueles dias de reizinho, a perna para cima, com Marco Moreno, o neto do dono, com quem passei as boas da vida e aprendi mais do que em escola. Na escola da visita, Ramires. É a melhor de todas. E agora, o quê? Quer ver? Mostro, se você quiser, a foto de um rapaz que queimou o rosto operando um compressor. Ele não era treinado para aquilo, não sabia usar. O rosto do menino agora é como um doce de panela, puxado, um olho menor que o outro. A expressão de um cão raivoso, o lábio caído para cá. Rindo sem querer rir. Um horror.

 Eu lhe disse isto, ou mais ou menos isto, então agreguei detalhes que não há por que repetir sobre o caso daquele moço sem sorte. O Ramires, me ouvindo, ficou visivelmente abalado.

Jurandir, rapaz, ele disse, após um tempo.
 Diga aí, meu velho. Quanta coisa, hem?
 E o Ramires começou fazendo aquelas perguntas curtas, incrédulas, de quem estava impressionado. Depois, confessou que seu pai tinha sido um anarquista influente, preso e espancado ainda na juventude. Quando

o enfermeiro foi nascer em Jaboatão dos Guararapes, ele me contou, seu pai estava na cadeia e só veio a conhecer o filho três anos depois. A família de seis morava num quartinho de aluguel. Pois, a raiva do enfermeiro vinha daí? Talvez fosse.

    Foderam com o menino.

    Isso mesmo, eu disse.

    Um absurdo.

    É, eu disse.

    Então o Ramires perguntou, e agora? Fica por isso?

    Não, acho que não. Mas preciso chegar até lá perto do fórum no Recife. Ir ver o tal doutor Nilo Rangel, que pintou a caveira do menino. E preciso das minhas coisas, Ramires. A minha bolsa com as pastas.

    Ele olhou para mim e disse que eu esperasse um pouco. Então saiu.

    Fiquei na cozinha sozinho e abri a Coca. Comecei a beber da garrafa. Belavista estava às escuras. Fui até a porta que dá para trás, levantei a aldrava e empurrei uma das bandas. Dali se chega ao pátio. Passei para fora e fiquei olhando. Lá adiante o Recife dormia aceso. Os cachorros vizinhos latiam um para o outro e, longe, um ônibus roncava fazendo a linha dos bacuraus. Mas na clínica não havia barulho. Só mesmo, muito de leve, os passos do Ramires indo e vindo para lá e para cá, tentando amaciar a pisada como se fosse um rato, um animal cujo costume da discrição é a sua chave para uma vida noturna e mais longa.

Estava em minha casa. Comigo estavam Heloísa, um artista de cinema, homem já maduro que, creio eu, era o James Stewart, e a sua esposa, a bela e também atriz Kim Novak. A cena começa comigo num dos três quartos de

casa, junto com Kim. James estava em outro cômodo, com a minha esposa. Tínhamos trocado de par.
    A mulher de James era mais moça do que ele e, como disse, bem bonita. Então, aproveitando que estávamos sozinhos, dei a ela bastante amor. O que quero dizer é que tive uma relação bem animada com Kim, o que ela muito apreciou. Após isto, saímos do quarto e encontramos James e Heloísa, que iam deixando o cômodo vizinho. James perguntou se eu e a esposa dele tínhamos tido relações. Respondi, muito satisfeito, que sim e perguntei se ele e Heloísa também tinham tido. Ele respondeu que não, apenas uns beijos e mais nada. Minha resposta afirmativa, de que tinha me relacionado com a esposa dele, deixou James e Heloísa muito tristes. A resposta de James, de não ter tido nada com minha esposa, deixou Kim e também a mim muito contentes.
    Então a cena muda. Estava parado na rua, sentado na calçada, quando novamente vi James, que vinha com Kim e outra moça sentada no assento de trás do carro. Fiquei animado com o reencontro. Acenei para que me vissem.
    Desta vez você fica com sua esposa e eu com essa moça, eu disse. A tal moça não era nem Heloísa nem Minie.
    James concordou, parou ali perto e eu entrei no carro. Tudo ia bem, até que pedi para saltar, porque queria olhar outro carro esporte que estava parado no gramado à beira de um lago. O dono era um senhor idoso e muito simpático, que logo abriu o capô e foi me mostrar os oito cilindros do motor. Enquanto falava com o velho, James tinha ligado de novo seu carro e, não sei por que razão, vinha a toda em marcha a ré para o lado onde eu estava.
    Cuidado com a água, James, eu gritei, mas não adiantou. O carro dele, que antes era uma baratinha es-

porte, passou por mim já parecendo um jipe e mergulhou no lago.

Fiquei parado, assistindo à cena, enquanto várias pessoas tentavam socorrer o jipe. Um homem saiu andando por cima da lâmina d'água, até bem perto de onde o veículo havia afundado. Tive vontade de ir também, porém o medo fez com que não fosse. Depois de muito esforço puderam arrastar a carcaça do veículo e salvaram James e Kim. A outra moça infelizmente tinha desaparecido. Lembro muito bem dessas cenas, especialmente da retirada dos atores americanos de dentro d'água. Passaram enrolados em cobertores grossos, mas não fizeram menção de vir falar comigo. Fiquei pensando que isso talvez fosse por eu não ter ajudado no salvamento ou não ter pulado no lago na hora do acidente.

Afinal fui conversar com o grupo que resgatou o carro, a fim de perguntar quando poderia reaver o mesmo. Encontrei um homem com sotaque esquisito trajando um macacão azul, e lhe disse que tinha pressa em recuperar o jipe, pois ele era da tecelagem e não meu, nem de James. O homem falou que isso só seria possível dali a pelo menos uma semana e para minha surpresa não quis comentar mais nada. Apenas se virou e foi andando. De longe, pelas costas, reconheci o tipo. Era o senhor Borche, do Instituto de Beleza, que ali estava bastante remoçado.

Um dia, lá em casa, durante o carnaval, no tempo em que Andrezinho ainda era pequeno, tirei um rato morto da casa dos cães, no fundo do quintal. Os amigos dele estavam comemorando conosco vestidos de pirata, de caubói ou de caboclinho. Heloísa olhava para fora, em nossa direção, pela janela da área de serviço. Puxei o rato pelo rabo e, levantando o bicho até a altura do rosto, ouvi a roda de meninos à minha volta dizer um eca estrondoso, todos impressionados com o animal resseco dos dias que ficou ali, antes da nossa descoberta. Um dos garotos tinha acabado de achar o cadáver na casinha.

  Lá de dentro Heloísa gritou para mim. Jurandir, joga logo isso fora.

  Então fui e joguei.

  Voltei do latão de lixo da frente e cheguei perto de André. Ele estava vestido de mouro, com uma fantasia que a mãe costurou com peças de pano que pude trazer da tecelagem. Eram camadas de um crepe branco com estampa fina ao longo do fio do tecido, em forma de fitas reluzentes e destacadas do corpo da túnica, que ele vestia com um turbante de pano da costa preso à cabeça por um cordão. Cheguei perto de Andrezinho e perguntei se ele queria que eu buscasse o outro rato. Que outro rato, ele quis saber. O que está aqui, eu disse, e pus a mão por baixo do turbante. Ele riu. Puxei dali, de uma mecha de cabelo, uma moeda de um cruzeiro. Vendo isso, os meninos fizeram ainda mais algazarra. Meu filho olhou confiante e pediu, pai, faz outra mágica? Eu disse a ele que faria depois do almoço, e lhe passei a moeda. Ele agradeceu. Só consigo puxar do cabelo, cabelo, ele disse. E fiquei pensando nessa inocência de Dezinho, enquanto os meninos e as meninas, caboclinhos de carnaval, já faziam outro círculo. Começaram a cantar uma ciranda, que girava e, ao fim do refrão, se comprimia quando a criançada de mãos dadas corria para o centro dela, fazendo um bolo retorcido. Os gritos, que interrompiam o canto da ciranda, densa na alegria daquele trambolhão coordenado, faziam a mim e Heloísa rirmos do espetáculo. Ninguém ainda desconfiava de nada. Tudo era agora e firme, o futuro apenas uma conjectura desinteressante. Dezinho acreditava que, logo que eu comesse, poderia fazer outras moedas aparecerem nos chapéus, nos cabelos e nas orelhas dele e dos colegas.

Fui puxar o latão com o rato para longe e, ali fora, vi um cachorro de rua parado, olhando para dentro. Fiz que ia jogar uma pedra no cão. Dezinho olhou espantado, me viu do quintal. Depois sorriu. Tinha entendido a brincadeira. Mas o cachorro não percebeu essa alegria nem o falso perigo que corria no instante da pedrada invisível, apenas seguiu seu caminho, buscando outras tentativas de refeição. A ele talvez parecesse um mero fato da vida essa roda de crianças correndo rumo ao encontro. Afinal, o que era uma ciranda com seus toques de tam--tam e ganzá, as mãos dadas, o riso alto? Pois André, ali anfitrião de tudo isso, na sequência do cão ria com a fita de serpentina que pendurou no meu bolso de trás, sem que eu notasse, e me chamava de seu macaco, que aquele era para ser o meu rabo, na lógica de que eu era, a meio caminho do animal, um pai peludo demais. E eu, o tal macaco, também sorria. Pois há pensamentos e lembranças que são verdadeiros tonificantes. Desses, raramente é possível escaparmos de boca fechada ou sem os nós que a garganta nos dá.

*Os brutos amam brutalmente.*
UM ADVOGADO

Deitado com André na cama, tentando seu sono, meu filho às vezes vinha com a mão para cima de meu rosto me conferir as feições. Dezinho com os olhos derretidos, piscando lento para mim. Nesse tempo ele falava muito e seu cabelo era mais claro, encaracolado. Sua mãozinha passeava para lá e para cá, me tocando os aros dos óculos, o nariz grosso, a boca larga, meus olhos puxados pela linha das rugas. Heloísa acabou tendo nosso filho tarde, eu já com a cabeça riscada de branco. E ele gostava de me apertar o rosto de leve e alisar meus cabelos com perigo de puxar uma mão cheia deles, achando graça nisso, enquanto lhe vinha chegando, aos pouquinhos, mais e mais, a inconsciência da noite embalada na companhia do pai. Dormia assim, naquele tempo, sentindo que alguém lhe vigiava a noite, o que em troca ele pagava com a atenção dos dedos curtos e as mãos alvas, parecidas com as de Heloísa. Pelo menos era o que de vez em quando nos diziam, que todo ele se parecia mais com a mãe. E nesta tal semelhança eu me fixava, enquanto ficávamos os dois nos olhando a meia-luz do quarto, até que ele finalmente pegava no sono.

Era isto que eu trazia na memória, quando notei que o Ramires me segurava a cabeça, olhando para mim, ele muito vermelho e de bata branca, nós dois dentro do chuveiro. Madame Góes tinha uma toalha nos braços, de pé, encostada na porta do banheiro, com os olhos rútilos de choro e a boca semiaberta. Ela me olhava de um jeito esquisito, com as pupilas apagadas, uma maneira que jamais vou esquecer. Lembro que perguntou se eu estava bem, se eu ia ficar melhor, mas o Ramires não respondeu. Ele tinha minha cabeça amparada nas mãos, embaixo de um filete d'água que parecia pingar do teto, uma água fria, que passava pelo meu rosto indo me ensopar a camisa e as chinelas.

Pois, já desperto do que doutor Ênio viria a chamar de outra coisa bem mais que um sonho, a situação deu suas voltas e me trouxe outra época. Não eram mais as cenas de meu filho comigo à beira do sono. Continuei abraçado ao Ramires, no banheiro, mas ainda não conseguia ficar de pé. Imagens de antes me voltaram de modo esquisito. Os corredores do hospital onde Andrezinho se internou faziam uma curva. E, de fato, este era o plano daquele edifício imenso. De uma ponta a outra não se via o fim do vão, as portas dos quartos do outro lado do piso. Lembro que quando estava por ali, ia e vinha, andando, fazendo para lá e para cá esse pequeno circuito em meia-lua. Heloísa passava mais tempo que eu no quarto, com nosso menino desacordado pelo desastre de moto.

Tantas vezes fui e voltei por aquele corredor que logo passei a ser conhecido dos enfermeiros e também de gente ocupando outros leitos do mesmo andar. Um velho de vez em quando passava calçando num pé um sapato e, no outro, um chinelo azul-claro preso ao tornozelo com gaze e esparadrapo. Esse velho caminhava devagar e sempre nos cumprimentávamos com um aceno de mão ou com a cabeça.

Então me pareceu sentir aquele mesmo cheiro de éter vindo dali, dos corredores do hospital da Marinha. Mas eu estava no banheiro com o Ramires e madame

Góes. Senti uma repulsa grande, tudo aquilo me voltava novamente. Não pude evitar o que veio depois. Odeio os espasmos de estômago, odeio a tontura que sempre vem casada com essas indisposições. Ouvi o Ramires me dizer, Jurandir, calma, fique tranquilo. Eu tinha acabado de sujar o banheiro todo, ali, ao pé dele.

Comecei a variar, me vi novamente na policlínica da tecelagem cuidando do joelho que tinha destroncado com Marco Moreno, depois de descer a ladeira montado nas rolimãs de uma sucata de trator. Eu tomava injeções, me davam soro e, às vezes, um pouco de sangue. Não podia ser a policlínica, é claro. Na imaginação tudo muda. Naquele tempo não faziam transfusões, a clínica era pequena. Então, com pouco, me achei de volta ao hospital da Marinha, já no Recife, e era como se agora eu fosse meu filho, André, deitado na cama, recebendo visitas sem poder responder a elas. Uma sensação horrível.

Alguém falou comigo, disse, vamos fazer a transferência dele para a clínica Burgos & Terêncio. Foi o que comentaram, que uma clínica particular seria melhor para mim. Na confusão em que estava, pensei que o Ramires tivesse feito essa sugestão. Olhei para ele, mas o enfermeiro estava calado, apenas me segurando a cabeça com a mão espalmada por trás de minha nuca.

Muitos desses detalhes acabaram não fazendo parte da memória que pus nos meus primeiros cadernos, os que preparo com anotações de cada quinzena. Também não comparecem no tal diário do neurótico, que fiz a pedido de doutor Ênio e ao qual ainda não tive oportunidade de me referir. Revendo essas páginas de antes, percebo o quanto deixei de fora, embalado pela calmaria da medicação. O ritmo dos meses passados em Belavista não era o ritmo que, em geral, minha vida costumava ter. Desde o primeiro momento fui induzido ao torpor das vacas. Pastei em busca de uma compreensão qualquer, dessa cura que custava a vir e que, quando viesse, me livraria de quê? Da tristeza. Mas quem não tem uma tristeza para roer em tempo de desânimo ou em dias de chuva?

Nas últimas semanas, quando o Ramires finalmente reconheceu meu pedido, mesmo sem que eu lhe pedisse de minha própria boca, fui aos poucos resgatando a clareza das coisas, revendo aqui e ali os pedaços recentes de meu tempo na clínica e, mais ainda, a relação disto com eventos de bem antes. Meu amigo Ramires, sem o aval de doutor Ênio, diminuiu e parou com a medicação. Reagi daquela forma, enjoos fortes e uma tontura com pancadas de suor que me levavam às pias e ao chuveiro do primeiro andar, de onde às vezes o próprio Ramires ia me tirar desacordado. Mas o efeito foi o pretendido. A névoa da indiferença me deixou a cabeça. Tive a impressão de que finalmente meus olhos voltavam a se abrir de todo, querendo o sal e o humor das coisas. Querendo também tragar novamente a tristeza que vai comigo. Pois pode haver riso, de verdade, mesmo no estado mais supremo de uma absoluta má sorte. E é isto que espero provar a todos vocês.


O mês passado voou, o carnaval já parecia ir longe. Madame Góes quis saber como eu encarava esta nova fase, agora ciente, plenamente, segundo ela, da minha condição de interno. Disse que eu brigava para reaver meus pertences e a minha velha função, quando, na verdade, ainda não podia ficar de pé por conta própria. E eu ia cuidar dos trabalhadores na tecelagem como? Ela se referia aos eventos de poucos dias atrás. À minha queda de humor, eu no chão do banheiro abraçado às pernas do Ramires. Não sabia ela de meu acerto com o enfermeiro, da iniciativa dele, após ter me ouvido contar a situação em que me encontrava no verdão, o destino do rapaz queimado e também um pouco da minha história com Minie, do que ela gostava de ouvir. Coisas de meu tempo de juventude, eu com Marco Moreno.

A decência, madame Góes disse, de repente, como se adivinhasse, é o conjunto das exterioridades que, segundo a época em que se vive, harmonizam entre si a aparência da pessoa com o seu porte, sua linguagem, seu traje, seu modo de receber quem lhe procura, e assim por diante. É isto, Jurandir. Entendeu?

Ouvindo essa bula, assoviei, impressionado. Madame Góes era dada a profetizar. E a senhora leu isso na Bíblia?

Não. Claro que não.

Leu onde?

Não li em canto nenhum, querido. Você pensa que é o primeiro filósofo de Belavista?

Sou nada, respondi. Aqui todo mundo é um pouco de tudo.

O traje decente de um lavrador, ela disse, é indecente num desembargador. Ou não é?

É, deve ser. Como é que um lavrador se veste, perguntei. Por acaso a senhora sabe?

Isso não importa, Jurandir.

Acho que importa, claro que sim. Não foi o exemplo da sua história?

Importa não. O que estou dizendo é que a comparação é o que conta, Jurandir. O contraste.

O contraste entre o rico e o pobre, perguntei.

Não, querido. Entre o decente e o indecente. Veja o dito popular, ela disse, e levantou um dedo. Para quem não tenha vergonha o mundo inteiro parece que é só seu.

Isso é certo. Tem razão, concordei.

Jurandir, ela disse, depois de uma pausa solene.

Que foi?

Descreva as coisas como elas realmente são.
Como assim?
Só estou lhe dizendo.
O que é que a senhora quer dizer com isso?
Nada, meu querido. Somente que você se irrita com essas histórias que você conta na seriedade e o povo às vezes repete na piada.
Madame Góes estava certa. Nisto, por estranho que pareça, ela e o Ramires concordavam. Fazia tempo que não conversávamos mais demoradamente, e agora ela ia descontar esse tempo, eu acho, esticando os assuntos e dando a eles um tom de grande importância. Parei um momento na frente dela, com a perna doendo, tragando meu cigarro, puxando dele um bolo de fumaça que, com o vento, fazia espirais animadas. Madame Góes abanou a nuvem do rosto e fez uma cara feia.
Agora você vive abraçado a essa mochila, escrevendo pelos cantos, tristonho. Só olhando o tempo passar.
Eu não me nego a nada, madame Góes.
Não estou dizendo isso. E muito obrigada pela mão que você tem me dado. Mas veja bem. Todo mundo gosta de você, ela disse. Os mais novos já têm no famoso Jurandir uma espécie de guia.
As almas-grátis, eu disse.
Doutor Ênio não quer que ninguém use mais essa palavra.
Mas a senhora usava.
Todo mundo usava, ela disse. E isso por culpa do seu amigo Ramires.
O famoso Jurandir, a senhora falou. Não foi? Famoso, como assim, perguntei.
Ora, ela disse, e parou. Fez aquele jeito de sempre, pôs a mão no meu ombro. Então joguei meu cigarro fora. Você é uma pessoa diferente, Jurandir. E você sabe disso.

Fiquei pensando se o que ela queria me dizer tinha ou não relação com os casos recentes que lhe contei, a ela e ao Ramires. Mas famoso por quê? Talvez porque os que ainda não me conheciam, em Belavista, ficaram me conhecendo na leitura da peça. As partes que doutor Ênio me pediu para ler chamaram atenção. Ele queria que eu fizesse o padrinho do coronel Carmelo e também a presa desse coronel, que era o místico Lantânio. Tenho certeza de que madame Góes achava isso um exagero, dois papéis para um velho novato, era o que ela queria me dizer, sem ter a coragem. Então, querendo levar a conversa para longe de mim, repeti o que ela própria tinha falado.

As ditas almas-grátis, não foi? Todo mundo dizia. E nem mesmo elas se importavam tanto. Só mesmo doutor Ênio foi fazer questão.

Eu sei. Tudo bem, ela falou. Assunto encerrado. Agora vamos entrar?

Vamos, respondi.

E só então passamos para dentro.

Com muito carinho, a própria Heloísa, desde o período mais chegado da nossa convivência, me apanhava na boca, de joelhos ou deitada na cama. Antes de me agradar com a mão e com a língua, ela dizia alguma coisa proibida. Essas coisas hoje me soam tão bobas, e ao mesmo tempo não posso deixar de valorizar o que elas significavam para nós dois. Eram momentos de plena inconsciência, eu acho. Mais ainda, era a confiança em seu estado puro, entre marido e esposa. Heloísa fazia uma voz diferente, como se fosse de manhã com criança, as pupilas grandes e paradas, e se dirigia às partes do meu corpo, dizia o que ia fazer, utilizando nisso expressões de baixo calão. O efeito era imediato. Meu corpo ouvia suas instruções com interesse. Era como se nossa conversinha tola tivesse uma mágica qualquer. E penso que o verdadeiro mistério dos bem casados é que essas práticas mantêm sua eficácia por uma centena de anos. Quem vai explicar isso?

 Ainda agora não me atrevo a repetir quais palavras e expressões se aplicavam ao nosso caso. Não são piores do que algumas às quais já me referi. Mas me trazem um quê de baú chaveado, que não se pode abrir, a não ser na presença companheira da outra pessoa. Dizer que a boca era uma boca aberta e dizer o que ela queria sorver não parece ser grande coisa, pois sabíamos muito bem o que viria depois. Não há nada de imprevisível nisto, nas promessas que se faz numa cama de casal. Nenhuma adivinhação nem mistério tinha no que a minha esposa falava que queria me dar, nos nomes e descrições de pessoas sem nome que, ali invocadas, participavam de uma cena comigo ou com ela, nós dois juntos ou cada qual sozinho, no plano imaginado de uma nova parceria.

 Você quer ver o que eu fiz, que eu sonhei ontem, sabe com quem foi, Heloísa me perguntava, apenas para me contar depois o que eu sabia que não era sonho nenhum. Era a repetição variada do que já tínhamos comentado antes. E, apesar disso, o efeito continuava a ser o mesmo.

 Me diga, com quem foi?

 Deixe de sua curiosidade, Jura, ela dizia. Tem coisa que é bom nem falar.

 Assim, ouvia minha esposa nua ou com a combinação transparente, já sem a roupa de baixo, a mancha mais escura no vão entre as pernas, enquanto imaginava qual era o caminho que ela iria seguir, qual curiosidade Heloísa queria, naquela hora, satisfazer dentro de mim.

 Pois é certo que nem o melhor nem o pior bastam ser realizados, precisam também ser comentados com todas as suas expressões. É de seu próprio relato que um beijo tira sua potência maior. De novo, não há mistério aqui.

Amor não é mistério, é o gosto continuado na rotina, e tornado ainda mais vivo pela história dessa mesma rotina.

Essas coisas voltei a ver só recentemente, depois que meu amigo Ramires me levou até o gaveteiro e me entregou, afinal, a bolsa com meus pertences. Lá recuperei as pastas e minhas cadernetas de antes, as de capa dura e as de espiral, com a história que Minie queria que eu levasse adiante, segundo ela, até o fim. Que eu não desistisse do que apenas eu podia contar. E nessa perseverança, também não escamoteasse mais nada. A lição dela era, em parte, a mesma de doutor Ênio. Apenas a moça não tinha o diploma de faculdade.

    Heloísa, por sua vez, foi a única que me leu essas histórias no papel, quando passei a limpo, em poucas laudas à máquina, o que ainda lembrava do tempo em que era mais próximo a Marco, nós dois pequenos, experimentando as coisas. Heloísa leu e me elogiou muito. Disse que essa voz que eu trazia dentro de mim não tinha motivo para ficar fora do papel. Conversamos um dia inteiro. Ela parece que gostou de verdade. Mas isto foi também como um tombo raro, de uma só vez. Como uma peça de artilharia que tivéssemos enterrado a sete palmos, pronta a estourar, se fosse exumada, mas cujo destino era permanecer ali mesmo, encrostando mergulhada na areia, abafada pelo barro. Nunca mais falamos naquilo. Ela não voltou a me perguntar pelo fim das coisas, em que dariam os desastres nos quais eu e Marco nos metemos no começo das nossas vidas, aquilo de bem antes de eu conhecer os meus dois corações e a minha vocação, enfim, tudo isso que está destinado a permanecer como sendo a camada mais antiga da nossa vida em comum.

* * *

Indeciso, mesmo quando pisca os olhos e se fixa no brilho que vem daquelas mãos, Marco vê seu pai espalhado no sofá de couro, nu da cintura para cima, as calças com suspensórios largados, a camisa embolada no tampo da mesinha de encostar. Parece mal, o gerente esgotado. Lembrava uma estátua que tivesse um caco em lugar do rosto. A mão direita apanha um trinta e dois prateado, rola o tambor da arma, a outra lhe coça o peito. Quando vêm num calor como aquele, essas mãos de pelica parecem mais um par de esponjas. Mas em vez, seu pai acena do sofá, diz que ele chegue mais perto, então sorri.

Você sempre me olhando de esguelha, hem, Marco? Ou eu voltava logo ou você ficava de vez com seu avô, ele diz. Era bom?

Meu amigo baixa os olhos buscando o vão da cama onde seu pai meteu de volta a mala castanha, a mala ao lado da caixa com os postais de Portugal, de Madri e da América. Ele tinha chegado de viagem naquela tarde e já estava completamente só. Chamou Marco e ele me largou com a cadela no jardim. Lembrou dos casos que o velho gostava de contar com a pasta no colo, o cabelo assanhado, o trinta e dois para lá e para cá, de uma mão à outra, vendo o filho piscar para o níquel da arma. Agora seu pai queria lhe dizer o que tinha trazido do Rio.

Dois trambolhos, ah, isso sim.

Foi o que nos avisaram antes, lá fora. Uma muda de palmeira-leque socada numa lata de querosene e um arco bororo atado às flechas com um cadarço de sapato. Dali só interessa mesmo o arco, que já, já meu amigo vai querer vergar como às vezes seu pai dobra folhas de papel, largando aviõezinhos de ponta rebitada, seus beija-flores, talões de volante que em muitas cidades ele lança com dois dedos, ponta com ponta, nas moças que passam por perto. Marco me disse. E elas nem ligam, até riem. Pois nisso ele é único, esse pai viajado, tão de fora, com sua mania de listas que meu amigo arrola quando ele lhe vem com outro mote daqueles.

As ramas daqui, hem, campeão?

E meu amigo responde, crioulo, butua-de-corvo, guiné, periquiteira, da-praia, pernambucano, macaco, cravinho, terra alta, indiano, rana, gigante, tacaruna número dois.

Artistas de filme americano, mas sendo mulher?

Pina Menichelli, Theda Bara, Sessue Hayakawa, Pearl White, Geraldine Farrar, Gloria Swanson.

Desses mesmos artistas, agora os homens.

Elmo Lincoln, Jack Perrin, Ken Maynard, Buck Jones, Tom Mix, William Desmond, William Farnum, Eddie Polo, Marco responde.

Isso, é isso. E o seu pai lhe aplaude essa cota e outra, que ele pede mais e mais, muda o tema e interrompe o filho por qualquer coisa, para que o menino não acabe nunca e elas pareçam sem fim, as listas campeãs.

Mas agora, quietos pelo cansaço da viagem longa, de semanas, eles dão um basta na invenção. Partem para o que interessa. Vão plantar a palmeirinha no gramado da frente.

Traga o pote, Marco.

Os dois vão chamar Fátima, tiveram que chamar três vezes. A ruça vem arrancar a grama em volta, chega para escavar a terra escura. Tira um bolo de barro e capim, afofa, mexe e, com a muda plantada, seu pai olha com olhos maiores, dá meia-volta e, afinal, entra calado.

Fátima sai esfregando as mãos na bata alaranjada, foi se lavar. Ia sacudindo a cabeça com um pano atado na testa à maneira de coifa, enquanto Iracema salta em volta e se lambe, late rindo com Marco ali fora vendo a copa da planta com as folhas abertas fazer um funil verde no topo de um tronco pouco maior que a gente.

Vão brincar, Marco, vão.

É Fátima quem grita de dentro, apontando de lá essa fronde alinhada que, meu Deus, repete logo o quê? A forma bruta de um esguio mastro de cocanha, o belo pau de sebo armado no seu aniversário, os meninos em volta deslizando e caindo no ridículo do chão, melando de areia e formiga o vestido das mães, as mães amparando com um riso o baque da criançada e, lá atrás, no canto do largo de pedrinhas, vigiando seu próprio bufê, Marco dava marteladas com o cabo de um revólver de seis espoletas na pilastra que sustenta o caramanchão, sua treliça em forma de cama por onde desce a buganvília tinta e, dali, debaixo daquela maranha, ele viu seu primo com cara de porco cantando glória depois de pular no chão afastando os menores com os cotovelos, oê, oê, fazendo dos braços duas varetas de acossar bicho de rua, o primo maioral, que chegou atrasado e saltou na frente, varrendo entre os cacos de panela estourada a cacete os confeitos no rés da grama, mãos cheias de balas gasosas e rasga-bocas, alfenins esfarinhados na queda e no aperto, punhados de maria-mole e nego-bom estralando nos embrulhos, desses doces que deixam os dentes mais pegados e a queixada infantil feita anciã, dividindo torta e vagarosa a liga dos gritos, desatando, com isso, em meio ao corre-corre, o nome repetido das próprias mães.

 E Marco, com barro nas solas, assistia ao vão curto da haste zoando no ar, a cabra-cega girando a ponta de um cabo de vassoura a um palmo e meio dos rostos da gente, enquanto todos em volta corrigiam com um opá o erro do pau, torcendo pelo golpe certeiro que, de um estrondo só, ia sacar o miolo confeitado.

 Pois quando afinal estouraram o pote, seu primo pulou na frente com a cara de porco. Fátima viu e não fez nada. Fez naquele dia da chegada do viajante mais esperado de todos, foi e plantou a palmeira a mando de pai e filho.

Olha agora, Marco, um pau-de-sebo só teu, ela diz, enquanto Iracema late admirada com aquela mudança no jardim. Estranho é correr em volta do que tinha nascido na terra de seu pai, o Rio de Janeiro.

Então Marco dá sinal e dobra a voz. Guerra, guerra, guerreou. A batalha começou, ele grita, e parte com a cadela saltando o a-la-mula, vão se pendurar no arre-burrinho rogando o bandeira-vogais, contestando o sargento-berlinda, sacando rápido e fazendo de-faroeste. Zombam na roda do quem-vai-ao-ar e, invocando o soldadinho-vai, encaram um quem-não-cuspir-come. Mortinhos da silva, ainda topam o desafio do corre-zé-garrucha. A galga Cema, pouco se aguentando com aquilo, vai junto e faz igual, pula e gane com um pé sem querer lhe raspando o focinho. Marco corre e a doida segue atrás, latindo fino. Um caça o outro e ela adora ser a perseguida. Esfolado, ele cai de cara no chão, com ela metida entre as pernas, e ali cospe a erva que Fátima revolveu por cima de um manto de grama-alfinete. Então seguimos pelas lajotas do passeio do pátio, que agora saem da frente do terraço e chegam até a palmeirinha nova. Fomos vigiar o viveiro maior, com os periquitos fazendo algazarra, quando de repente soa um estrondo seco, bem alto.

Trom.

Marco se espanta com aquilo. Os pássaros logo desatam na berraria. Iracema late esticada, encarrilha o brado quase num uaú só. Lá dos quartos alguém pede que acudam, raspa a voz do poço da barriga. Mas na hora agá o menino e a cadela se escondem por trás do leque folhoso, no chão fofo em redor da mancha escura, naquele cantinho marrom com a terra mexida e recém-aguada. Estão de pé e de cócoras, embaixo da palmeira-leque ouvindo o vozerio dentro de casa, e ele, pegado mais e mais com ela, escuta atento molhando a terra que lhe molha as pernas, os pés, até que chamam de novo, gritam lá de cima, mas gritam alto.

 Ei, Marco. Chegue cá.

 O menino sabe das armas de seu pai e não sabe de mais nada. Depois do estouro só lhe vem arrolar listas com a cadela do peito, dois comparsas escondidos sob o vão da palmeira, essa grota de cessar e fazer tocaia, que cheira à forragem nova e palha de coco. Mas logo vem Fátima, ligeira, e vem mandada.

 Vamos embora que seu pai fez besteira.

 Marco grita que grita, mas grita tão alto e por tanto tempo, está gritando ainda, que a meio caminho do fôlego ele enrouquece e seu timbre, esganiçado como o de uma moça, logo engrossa e põe os pelos da garganta para fora, afofa as cordas, inflama o pomo de onde agora sai, não um buim mas um ruão soante e morno, de touro ferrado, seu motor bufando em baixa rotação. Não o apito de um mero guardinha, mas a sirene a vapor de uma fábrica lotada e, ouvindo isso, a pau-canela se irrita e fala para dentro.

 Esguicha feito um porco que é igual ao pai.

 Isso ela repete apanhando Marco pelo braço, então ele larga dela e corre dali. Suas melhores pernadas saem com o fusco do dia. É noitinha quando de novo mandam Fátima ir caçar criança no jardim e, rodeando as árvores, varando os arbustos e a cerca de papoulas, ela pratica o pega desleal. Chegue, Marco. Venha cá, ela grita com a voz mudada, que só a gente sabe, ela pensa que não, então vai e comete a pior das faltas, apanha o fugido pelo pano da camisa, que se estica até estralar e lhe para a corrida desatinada.

 Pois é só ali, no braço e um pouco na cara, que Marco unha a feia Fátima, por não querer voltar para dentro, com a casa já cheia de gente e todo mundo no seu quarto querendo ver e passar a mão na sua cabeça, isso não. Pois ele se faz de lodo e gruda os olhos e a boca, os braços no tronco da palmeira-leque, assim é também porco pegado a esse regalo dos cariocas, volante maior de seu pai.

 O filho, mas olha o filho. Vão lá, disseram, continuam chamando por ele, que é tarde, é quase noite, e Marco faz silêncio total. Não quer ir, não vai nem morto. Ouviu faz pouco o reboliço do caminhão-baú. Ele larga do pau e abraça a cadela, as fuças presas para que não lata e, assim calado, adivinha de vez o que seria aquilo. O que nem era para termos escutado.

 De jeito nenhum não entrem com esse menino agora que vamos baixar o homem.

 Seu coração salta da boca e estaca com a cadela moça. Sem jeito, ele cospe e lhe enfia o dedo no ó. Iracema gane e nos acusa a toca. Logo volta Maria de Fátima mais autorizada, segurando uma corda, um copo d'água com açúcar. Marco vê o rolo, a oferta e larga da sua amiga, mas a boa não late, apenas olha o menino em silêncio, ela de pé e ele estirado, os dois com as borras que o barro marcou neste longo plano que nos dá eternamente o chão.

Os dias, este mês, caminharam uns iguais aos outros. Tinha deixado para trás a conversa que madame Góes queria ter comigo, sobre a indecência. Entramos na clínica ontem à tardinha e passei o resto do tempo, antes e depois da ceia, relendo coisas passadas, lembrando e anotando histórias de minha época de juventude. Dormi tarde, mas não dormi mal. De manhã o Ramires me entregou o material para os meus trabalhos manuais. Falou também que doutor Ênio tinha chamado a atenção dele por conta do caso do tal capitão-vigia e das prisões de outubro, que relatei faz pouco e algumas pessoas passaram a história adiante, repetindo minha versão várias vezes e inclusive dando, com ela, o meu nome. Antes do almoço desenhei meu autorretrato, que consiste da minha reclusão aqui. Só ao cabo da oficina de trabalho busquei uma revista nova da coleção de doutor Ênio. Tive grande interesse num artigo sobre o controle de natalidade, o qual li todo.

 Tinha passado a semana anterior com um cansaço enorme, um desânimo como nunca me deu antes. Após a oficina o Ramires veio me perguntar se eu queria sair para tomar um café, mas não fui. Sabia o que ele queria discutir e, por isso, não fui. Apenas me sentei na calçada do lado de fora da clínica e fiquei olhando o topo das igrejas, as palmeiras e os pés de coco.

 É engraçado como esses troncos, pensos pelos golpes da brisa, balançam sem vergar de vez. As copas folhosas, desbaratadas pela agitação, me trazem sempre uma imagem mais triste. Dia e noite, a sol e chuva, elas largam aquele barulho de lixa que dá quando o vento sopra. À tardinha, quando os sinos do mosteiro de São Bento soaram, pensei nisto novamente e no quanto, aos poucos, a maresia deve roer o bojo antigo daquelas potências de bronze. O fato é que, no tempo de todos esses anos, desde que foram postos ali em cima, essa consumição não tira deles a espessura da unha de um mindinho. Ao mesmo tempo a bicicleta do Ramires está toda encaroçada, carcomida pela ferrugem. Com pouco mais o quadro se quebra e ele tomba de cara no chão. Não sei bem que conclusão tirar disso, mas me parece óbvio que há metal e metais. Até nessas qualidades a natureza põe suas diferenças para funcionar, e o povo aproveita como pode.

 Pelo resto do dia fiquei remoendo aquela história do capitão, amigo do Ramires, e como ela, depois que me foi explicada, acabou precipitando nossa decisão de deixar Belavista e afinal descer para o Recife, a ver se cuidamos de pendências minhas e dele.

\* \* \*

Minie usava roupas coladas, de um tecido elástico que grudava no corpo. Às vezes eram camisetas de malha estampada, que ela mandava buscar no Recife, e vestia com saias cheias, de algodão cru, sempre mais curtas que os vestidos das colegas no verdão. À conta disso ela era comentada por muitos.

Eu não comentava nada. Apenas lhe fazia elogios.

Lembro que Minie gostava de que eu lhe lambesse os peitos.

Escrevo isto agora e uma faísca qualquer me sobe por dentro. Não é energia de meu próprio corpo, é a energia que vem da lembrança desse seu jeitinho moço, uma palpitação amiga que sempre está lá, quando quero invocar o tempo de antes, o tempo da viração lasciva, de uma ligação, a bem dizer, rara demais.

Depois que parti para cá, a cabeça vazia, nas primeiras semanas lembro de horas em que o silêncio doía. Era a falta daquela sua presença amiga, inteligente, das conversas que duravam horas. Era também falta da graça de Heloísa, da doçura dela, dos minúsculos tumultos de seu Andrezinho, sempre pequeno na memória que tenho dele.

As comemorações do dia de hoje, o meu aniversário, me avivam as feridas que suporto, a cada mês, com mais e mais dificuldade.

Mas estou aqui para me parabenizar pelo dia. Bom pai e marido penso que fui, muito embora isto seja tarefa de outros, dizerem se é certo ou não.

E talvez hoje, que a data me pertence, o grande abraço que me dou, o beijo na família que me integra, partida como esteja, é lembrar dessas pessoas, de minha amiga, de meu filho e da minha esposa. De meu sogro também. E de Marco Moreno. A todos, o meu abraço.

E, para mim, apenas aquilo que busquei com unhas e dentes.

Minie gostava muito do que fazíamos. Seus peitos eram pequenos, e ela, às vezes, por pura provocação, de pé, me dava um. Segurava nos dedos um mamilo apontado para a minha boca. Um dia fingi não ver essa oferta, continuei lendo na poltrona do apartamento dela.

Ei, preguiça. Acorda, ela disse. O velhinho quer leite? Ah, quer não?

Essa teima, que era pura provocação, querendo me chocar, afinal acabava nos estreitando. É estranha a sensação de cumplicidade no erro, de falta de limites. É talvez o que anima os bandos de marginais fora da lei, os criminosos de guerra, os amantes, os mártires. Não são loucos. O Ramires me disse que Hitler, embora se batesse igualmente contra burgueses e comunistas, fez questão de se cercar de pessoas boas e talentosas. E que a competência dessa bondade toda ajudou o Kaiser naquele seu grande mal.

Lantânio não tinha instrução nem família. Sua família eram os seus seguidores, mais de dois mil. Notei que a peça de doutor Ênio se exime de oferecer uma razão para os eventos. Não respondia à questão de ter sido ou não aquele bando um finca-pé contra o governo de Epitácio Pessoa. É o que dizem, mas duvido que tenha sido assim. Em que poderia uma pequena seita de agricultores, modelados por Pedra Bonita ou Antônio Conselheiro, desafiar a potência de um estado ou a de um país inteiro? As volantes interioranas, que caçaram Lantânio até o fim, trouxeram histórias confusas de lutas com meninos e mulheres, de gente se casando com as filhas e bandidos açoitando senhores de fazenda, querendo ir à desforra dos séculos anteriores. Quem sabe onde está a verdade?

Na cabeça de muitos, os dessa região são tipos encruados, com avareza no costume. Ou então têm uma sabedoria qualquer, para tirar leite de pedras e transformar, pela sua esperteza, um acidente em saldo de vitória. Mas qual é o azarão que nunca teve um dia de sorte? Lantânio não era só isso.

Antônio Silvino, Cabeleira, Odilon Nestor, Jararaca, Frei Miguelinho e, mais recentemente, também o Luís Carlos Prestes são todos exemplos da vontade em favor de mudanças na comunidade dos homens. Como me disse um pescador, esses tipos querem andar por cima da lâmina d'água, daí o perigo.

Lembro que, diante da pombinha que é o tal Maciel, incapaz de dar àquele que ele representava os desgostos que tinham tornado um matuto em alguém afeito a matar os seus, enfim, lembro que houve um momento no diálogo entre o coronel e o místico que, de repente, fez com que o círculo de gente à nossa volta fizesse um silêncio maior. Fomos transportados a outro lugar. Penso que até o próprio Maciel naquele instante se viu na pele do militar. Sua voz ficou grave e pausada, não era mais a de um garoto nervosinho, de cidade grande. Falava um braço em riste, um braço amparado na ignorância e na platina da lei. Ali eu fazia Lantânio e ele, o coronel.

Qualquer deserto é um imenso leito de morte, ele disse.

Você veio morrer aqui, perguntei.

Vim cobrar os que você matou.

Teve gente que acabou aqui porque quis.

Os meus?

Os seus, eu disse.

Você pensa que é Deus?

Quem muito se evita se parece, eu disse.

Eu vim buscar você.

E eu estou aqui.

Se eu levantar um braço você morre no tiro, ele disse.
Então você não veio me buscar.
Vim, e sua história agora se acabou, ele disse.
Estou aqui.
Você fugiu demais e agora se acabou.
Aqui cabem todos os caminhos, eu disse.
Você se escondeu tanto por quê?
Não me escondi.
Se escondeu, ele disse.
Muitos se perderam vindo atrás de mim.
Agora você vem comigo e me dê esse livro e a sua mochila também.
Venha pegar, eu disse.
Se eu levantar um braço duzentos soldados vão partir para cima de você.
Pode levantar o braço, eu disse.
Quantas mortes mais você ainda quer?
Apenas uma.
A sua bastaria, ele disse.
A minha me bastaria.
Mande os seus saírem da toca, ele disse.
Não mando em ninguém.
Mande saírem, vá.
Quem quiser vir é livre para isso.
Vão enforcar você ou então eu vou matar você.
A escolha é sua, eu disse.
Você está louco, porque quem fala assim é louco.
A loucura não move as pessoas, eu disse.
O quê?
A injustiça é que move as pessoas.
E quem é você para falar de justiça?
Você sabe quem eu sou.
Eu sei que você agora é um preso, ele disse.
Sua vontade só pode ser essa.

Que você seja preso?
Não, que você faça o que lhe mandaram fazer.
Eu posso matar você se eu quiser, ele disse.
Você pode me prender já morto.
Isso é loucura e agora vou levantar o braço.
Pode levantar, eu disse.
Não se mexa.
Não estou me mexendo.
Mande os seus saírem dos buracos, ele disse.
Não posso tirar ninguém de seu canto.
Já levantei o braço e daqui a pouco duzentos soldados vão estar aqui em cima de você, ele disse.
Então seremos duzentos e dois.
Onde estão os seus?
Estão do seu lado.
Como assim?
Os meus estão do seu lado, eu disse.
Você agora está sozinho.
Eu estou com você, eu disse.
Você está preso e agora vai morrer.
Você também.
Como assim?
Você também vai morrer.
Eu vou morrer de quê? Quem vai me matar?
Isso importa?
Vou morrer mas não vou morrer agora, ele disse.
Você se importa com a hora certa?
Me importo que você agora esteja preso, ele disse.
Então pode baixar o braço.
Agora você vai ver o que vai lhe acontecer.
Agora somos duzentos e dois, eu disse.
E todos estão do meu lado.
São duzentos e dois os lados, eu disse.
Você está mesmo louco, ele disse.
Os loucos e as crianças são inocentes.

E você realmente pensa que é um deus, ele disse.

Seu braço com essa platina lhe pesa demais.

Depois do enforcamento vamos cortar você em sete pedaços.

Pode escolher seu pedaço, eu disse.

Você é louco.

E você uma criança desfazendo seus bonecos sem saber por quê, eu disse.

Neste momento Maciel parou de ler, eu também parei. Ninguém falou por um tempo. Doutor Ênio não disse nada, ficou calado, apenas nos olhando. Já tínhamos deixado para trás aquela tentativa de dizer nossas falas com os fantoches no colo. Estávamos agora de pé. Então, no largo daquele silêncio, doutor Ênio começou a bater palmas, bem devagar, palmas sonoras, e todos em redor começaram a fazer o mesmo. Finalmente tínhamos acertado naquele ânimo negativo e lúcido de quem estava no fim da linha. De meu lugar, olhei para trás e vi que o Ramires não batia palmas, estava quieto. Mas tinha os olhos vermelhos de tanta atenção.

Nos dias a seguir ao carnaval ficou claro que não haveria peça na calçada de Belavista. O próprio doutor Ênio admitiu que era necessário rever o texto. Virado o mês, agora sem a kombi nem o toldo, nem menos ainda os ensaios para nos ocupar o tempo, a clínica começou a se preparar para outro intervalo nas entrevistas, pois nosso médico também anunciou que tiraria os próximos dias de folga.

O Ramires me procurou várias vezes, mas não comentou minha leitura daquele trecho com Maciel. Logo depois encaramos o que já relatei. O engodo daquela história sobre Odilon Nestor, a crise de saúde que me abateu, minha abertura com o enfermeiro, as saudades que sentia de casa e dos meus. Em parte por isso, penso que imagens de antes, do verdão e da rotina com as pessoas que me acompanhavam na tecelagem, voltaram a povoar minhas noites em Belavista. Algumas dessas cenas comentei com madame Góes, que me apreciava a confiança, pensando, talvez, que na ausência de doutor Ênio ela agora me amparava como um ombro-guia, como se fosse uma gaveta onde eu pudesse deixar esses instantâneos guardados para quando eles realmente pudessem fazer alguma diferença.

Eu ia para a sala de jantar que foi de meu amigo Marco Moreno e que, agora, era minha. Entrei na sala e vi Heloísa sentada à mesa. Cheguei perto dela e lhe dei um beijo. Lembro que estava de pijamas, pois continuava doente e tinha descido só para comer. Havia ali várias pessoas, inclusive o pai de meu amigo, que estava à cabeceira da mesa presidindo a refeição como, quando vivo, costumava fazer.

    Então de repente ele se levanta da cadeira e vem com dois presentes para mim, um livro e uma gravata azul. A ponta da gravata estava colada na capa do livro. Eu descolei o tecido do papel e, no fazer, rasguei um pedaço da encadernação, que tive de colar com meu próprio cuspe. O livro era de Cecil B. DeMille, o grande diretor de cinema americano, já falecido. Gostei muito e disse que há tempos estava querendo ler essas memórias, pois elas ensinavam a gente a viver. Ao me dar o presente, o pai de meu amigo me disse uma coisa.

    Comprei esse livro para você aprender a se comportar, meu filho. Como um rapaz de bem deve se comportar, ele falou.

    No futuro, o senhor sabe, vou deduzir o certo do errado por minha própria conta, eu disse. E o livro vai me ajudar muito. Mas a cura mesmo, só com o tratamento.

Após ter ouvido isto, ele veio e me disse algo no ouvido, que não compreendi. Pedi que me repetisse o que era. Na segunda ou terceira vez, entendi o que ele queria falar. O jardim da frente do casarão andava muito malcuidado. Não gostei da notícia e disse que fossem chamar Fátima. Ela logo apareceu na porta da entrada principal e cumprimentou um rapaz que estava sentado à mesa, ao meu lado, mas que eu ainda não tinha notado. Perguntei se eles se conheciam, e esse rapaz, com um sorriso, disse que sim. Achei aquilo estranho. Todos que estavam sentados à mesa riram, então ri também. Mas continuei sem saber quem era o tal rapaz.

Ainda esta semana, cedo na manhã, comentei este sonho com o Ramires e ele curiosamente conectou as imagens que relatei com a leitura da cena de Lantânio. Disse que, de fato, servir a dois reis era mesmo impossível. Preferi que ele não se aprofundasse na ideia. Descemos na ponta dos pés, apanhamos na cozinha um pouco de comida e um café que ele já tinha passado. Para evitar a discussão do sonho, fui lendo para ele o trecho da história que, tempos atrás, eu tinha lido para Heloísa. Coisas de meus dias de infância, assistindo Marco.

 O Ramires gostou e disse que era mais interessante do que a própria peça de doutor Ênio. Mas quem diria? Meu amigo enfermeiro começava a pegar gosto por histórias que iam além da política.

 Estávamos nos preparando para deixar Belavista no dia a seguir ao do meu aniversário. Separamos duas mochilas. A comida ia junto com as pastas e a foto do rapaz queimado. Então o Ramires, arrumando aquilo comigo, de repente me presenteou uma navalha nova embrulhada numa meia folha de papel-jornal. No dia anterior, madame Góes já tinha me dado uma caixa de chocolates. Na hora que recebi a lâmina de meu amigo, disse que ele esperasse um pouco, busquei uma moeda no bolso e passei adiante.

E isso para quê, o Ramires perguntou.

Para você não me cortar com o que me deu.

Ele riu. Você é cheio de invenções, Jurandir.

Ferro por ferro, meu querido.

Sendo dinheiro, por pouco que seja, eu topo, ele disse. Vamos?

Madame Góes falou que quando eu pagasse tudo que devo a ela, ela ia ficar rica.

Rica ela era antes de o marido alemão morrer, o Ramires disse. Sabe qual era o sobrenome dele?

E não era Góes?

Não. Era Goenz. Com ene e zê.

Goenz?

Pois é, o Ramires confirmou, e fez um aceno para a ladeira. Vamos lá?

Vamos, falei. Fechamos a porta e começamos a baixar, deixando Belavista para trás, no topo da colina diante do mar. Então seguimos rumo ao circular do Varadouro, de onde partem os ônibus e as lotações de aluguel em direção ao porto do Recife.


O ar tem um cheiro. Marco levanta da cama com um barulho vindo de fora. Do muro, para além do gramado, alguém grita para dentro, grita alto.

Opa, lá vem o marrom. Ei, chupeta de satã.

Meu amigo ouve o brado e salta de pé, espalhando seus bonecos de chumbo, larga os cartuchos de bala seca, cascas de trinta e dois e quarenta e quatro que caem fazendo cascata. Nem é preciso apurar o ouvido, ele olha pela janela e lá está o alvoroço. Sebastião vigia parado no jardim, beirando o muro da casa, com o pescoço esticado querendo ver longe.

Mas olha aquilo ali, Fátima acusa, ao lado de Sebastião.

Marco, da janela, viu quem era. Averrós vem aí, chegou e já está quase no portão. Meu amigo toma esse vulto de longe, seu coração incha, late com ele de pé querendo sair, pular, ir até lá e cumprir de sentinela. Ele testa a maçaneta sem tranca e sorri, sai correndo que corre como o filho de um pai na forca. Salta os degraus da escada e, no fim do corredor, voa baixo. Quando passa pela sala, lá vem Iracema, a cadela começa sua perseguição estouvada. Vão os dois a trote largo. A enxerida se mete pelo meio das suas pernas, que ele perde o equilíbrio e quase cai, mas não. Ela se entorta burra de alegria e sai dali, corre girando a língua e o rabo. Marco deixa a louca para trás, dispara contando dar com Averrós e a sua cara de carão, a voz mansa querendo de tudo um pouco, assustando as pessoas com esse jeito de pedir.

Me dê um pão, viu? Me dê pinga da boa.

E tem nada, Averrós. Vá trabalhar, é isso que lhe gritam de volta, a modo de resposta. Menos o pai de Marco. Seu pai fala que o tal volte mais tarde, lhe dá um bocadinho disso ou daquilo, e o visita sai contente.

Porém, hoje não.

Cadê ele, quede seu pai? Não sou o que-diga, abra que é só com ele. Averrós pergunta de longe, queria saber. Grita de novo, vidrado nas janelas dos quartos de cima, mas ninguém ouve nem aparece para nos lembrar que Averrós é perigoso pacato, pede antes de tomar, ou não toma porque sempre lhe dão um pouco, por medo do pior. Verdade que poupa esta casa e vem só pelo seu protetor, solicita apenas a ele. Agora está solto. Talvez tenha escutado o que já lhe disseram várias vezes, o que eu e Marco ouvimos uma vez.

Aquilo espuma para dentro, pode até estourar.

De verdade, ninguém nunca viu nem crê que Averrós, o famoso chupeta de satã, lorde cheiroso, belo sapinho, o grota, barba de camarão, coroa de frade, tido por mata-sete, esse grande sem-comunga, vá estourar. Marco está para ver. Averrós tem quantos? Quarenta, cinquenta anos. Alto assim, vem com tudo para cima do portão, sacode o próprio peso, bate com as mãos cerradas e chacoalha as correntes com o cadeado. Meu amigo vê isso e nem pisca, imagina no que vai dar. Se Averrós entra ou não, se o seu pai aparece na janela para que tirem o boca-seca dali. Mas não adianta, ninguém vem. Vem só o próprio sombra.

Olha essa praga de novo, agora é Sebastião vigia quem fala.

Averrós não ouve os gritos com ele, apenas se joga nos ferros pedindo graça ao padrinho lá em cima. Cadê ele, a fera pergunta, e repete ainda mais alto os nomes do pai de Marco, que ele entoa com a voz escabrosa, o tom frouxo e tossido, os olhos saltados para fora, suas mãos com força nas vergas do gradeado.

Os passantes já começam a parar ali perto, querendo saber. O que será isso, hem, meu Deus?

Era o dito Averrós, tão alto e lento, coitado. Dos que já correram atrás de Marco, apenas ele não chegou lá na vez em que meu amigo lhe arruinou o garrafãozinho escorado no calçamento. Viu o tanto e pensou, ali tem, vamos embora, e na disparada, com o dormido no chão, raspou o pé na branca e ela deu uma voltinha no ar, estralou emborcando o mel de tanque nas fofas do afamado.

Averrós se levantou já pronto, partiu gritando. Se eu te pegue, esse menino. Ah, se eu te pegue, ele gritava.

E Marco corria mais do que se um cavalo lhe puxasse o carrinho a reboque, mais do que se a rua baixasse em ladeira ou ele fosse não só com as suas, mas também com as pernadas de seu pai, o belo viajante, antes do acidente dele. Agora o filho está ali plantado, assistindo à cena que o bruto faz, que este só falta morder o portão. De longe vem sua fedentina. Averrós é o exemplo que dão quando Marco passou do ponto do banho, lhe imploram para que não cheire como ele, com camisa por cima de camisa, faça chuva, faça sol, vestido com suas várias peças de pano, abafado como um cacho de bananas.

É Fátima quem nos aponta isso. Olha o guarda-roupa apurando feito peça de charque. Não deixe. Ouviu, seu Sebastião? Se ele pular, dê com o porrete. Mas dê com tudo. Fátima fala trincando os dentes.

Até a galga Cema late mais bruta para esse homem sacudindo o portão, gritando para dentro, olhando de lado como se Marco fosse o próprio ladrão da cruz. Passamos um tempo diante de Averrós. Ele gesticula e aperta as rugas em volta da boca roxa, dos olhos, enquanto o menino avalia o volume do tumulto. O portão, o pira e cadela soando alto. Ele está para ver seu pai assistindo a tudo isso quieto e, mesmo assim, nem sombra dele lhe aparece na janela.

Então Marco diz a seu Sebastião que baixe o porrete e deixe de estalar com ele na grade, tentando acertar os dedos de Averrós. Pode deixar, deixa ele. Já falei. Abra a grade. Ouviu, Sebastião? E o vigia se espanta.

O grande peba também, então se cala. Toma um passo para trás, agora tem os olhos parados e volta a pedir de novo o que mais queria.

E o seu pai?

Está lá em cima. Assim você não ajuda, Averrós.

Mas cadê ele?

Agora não pode, está lá em cima. O que é que você quer?

Quero ver ele.

Não, ninguém mais vê nada. Já lhe disse.

Só queria saber.

Agora já sabe, já falei.

E então Averrós larga seu bordão ainda hoje soante e verdadeiro. Mal, mal, mal, ele diz.

Meu amigo pesa se lhe conta ou não, em como dizer ao grande tintino que ontem seu pai estourou a cara dentro do quarto. Sua voz agora é soprada, sai de um funil e, dos olhos para baixo, vai coberto de panos como um sheik pintado com nódoas rubis no véu do rosto. Averrós queria saber disso, faz um gesto em redor do queixo, como se ele próprio fosse o lazarento. Aponta o pescoço querendo mostrar o do seu pai, que ouviu dizer e veio só pelo seu benfeitor, não se contenta com o filho.

Já lhe disse, Averrós. Ele está lá em cima. Vá embora, Marco insiste.

O grandessíssimo ouve e olha para o alto. Meu amigo está diante dele com o portão escancarado e, às suas costas, eu e Iracema e Fátima e Sebastião balançando o porrete, esperando que o gigante boleado faça um gesto brusco.

Olhe. Solte isso, seu Sebastião.

O vigia baixa o pau, enquanto Averrós olha Marco ao alcance de um braço, então dá outro passo para trás.

Você cuida daí para a rua, Averrós. Cuido eu aqui de dentro, Marco diz, e olha para Fátima. Vá lá e traga uma da boa. Vá rápido.

Ninguém se mexe no tempo de a feia ir e vir da cozinha.

Isso, é isso, Averrós lhe confirma essa licença.

Tanto silêncio agora é o eco de uma concha abissal. Fátima vai e volta com o litro pequeno, entrega a Marco essa encomenda sem tirar os olhos de seu futuro dono. Meu amigo estende a mão para Averrós, mas o dito não passa para dentro, adiante não vai mais. Então sai o menino. Vai com dois passos e já está fora de casa, cruza o portão e fica frente a frente com Averrós, que logo estira um braço e encosta a mão na oferta. Nada ele puxa de vez, jamais. Apenas olha a garrafa, sua querida.

Vige, ele diz, gostou do que viu.

Marco está sozinho, sente que está dessa forma, só. Ali, apenas o fama. Ele sabe que seu pai não vê, não pode ver lá de cima, talvez não veja mais ninguém. Mas Averrós enxerga o menino como se ele próprio, esse pai, estivesse cá fora, de pé, o seu benfeitor com outro agrado ao fiel moela-preta, que prefere a cândida desta casa. Então Marco lhe passa o regalo e faz com a mão que ele pense e tenha mais medida das coisas, pois essa cana rega um dia como nenhum outro, hoje o último, ela cumpre o ofício de uma molhadela realmente benta, por modo de seu pai, e que ele, o gota, sempre se lembre de quem foi esse pai.

Você sabe o que estou lhe dizendo, Averrós.

Sei sim, oh. O seô, seu pai.

Averrós entendeu, bate no peito e puxa as franjas das calças, das camisas que veste, das tantas. Mete a garrafa num bolsão e esfrega as palmas naquela carga recém-aportada.

Com esta vou me branquear, ele diz.

E assim dão a sua visita por encerrada, todos já com o riso branco de alívio, tão rápido, sem esperar nada além do que já havia passado. Mas vai e quando estão para dentro, com o portão de novo abotoado, Averrós fala de fora aquilo que atira Marco para o terreno de anteontem, roda-viva eternamente de volta à beira de seu poço maior.

Seu pai soubesse o menino que tem não tinha dado esse estrondo na cara.

É o roto quem diz, fala isso a modo de agrado, um modo que nos vem com a sinceridade de seu cheiro. Então, afinal, parte Averrós a passos de paixão, adiante na vida e, assim como vai, caminha devagar, nele, para longe, um rei naquela sua rua imensa.

Sempre que desço de manhãzinha fico pensando no caos que deve ter sido esta cidade antes do transporte público, todo mundo a cavalo ou nas jangadas para lá e para cá. E ali, agora, íamos eu e o Ramires baixando pela ladeira de São Bento, em silêncio, buscando as linhas de condução, quando de repente ele começou com a conversa.
 Tem coisa aí nessa bolsa que você não quer mostrar, não é. Hem, Jurandir?
 Tem nada, Ramires.
 Claro que tem, ele disse. Então deixa eu carregar?
 Para que você ia querer carregar minha bolsa?
 Não disse? Aí tem coisa.
 Mas eu estou lhe dizendo que aqui não tem nada.
 O que foi mesmo com aquele desenho, era do seu filho? E essa história de seu tempo de menino. Você ficou muito esquisito.
 Esquisito?
 É, isso mesmo. Desembucha, Jurandir. Que besteira é essa? Logo agora, que decidimos dar as mãos nesta ação conjunta.
 Parei no meio da ladeira e comecei a rir. Olhei para ele. A ação conjunta à qual o Ramires se referia era nossa decisão de descer, cedo na manhã, praticamente às escondidas, rumo ao porto do Recife. Ali estávamos eu e o enfermeiro com as mochilas nas costas seguindo para o anel viário do Varadouro, onde param os ônibus e as lotações que vão até o centro, os subúrbios, as praias. Naquela hora já ia muita gente circulando por todo lado. Na metade da descida ainda se viam os silos do Instituto do Açúcar e do Álcool, as torres das igrejas de Santo Antônio, São José, do pátio de São Pedro e o topo dos edifícios

mais altos, acinzentados, que me fizeram companhia nas vezes em que me plantei por trás do basculante de meu quarto, fixado na paisagem mudada, nas pontes que conectam o bairro da Boa Vista ao centro e ao porto, entre as desembocaduras do Beberibe e do Capibaribe. Pouca gente se dá conta, mas o Recife é uma ilha entre o mar e dois rios. Há tempos que Marco tinha me dito isso.

Se abra, Jurandir. Está me ouvindo? Você parece que ainda não se recuperou do carnaval. Anda aéreo. Assim, como é que vamos enfrentar essa parada?

Ramires, eu estou bem. Acredite. Me deixe, eu disse. Tome aí, vá, e lhe passei um cigarro. Minha perna já doía um pouco mais. Tirei a mochila das costas, apoiei o peso no outro joelho e abri o zíper. Está vendo? Nada que você já não tivesse visto antes, eu disse. Satisfeito?

Ele veio olhar. Eram dois sanduíches de pão com molho de carne e banana, um cantil de plástico com água, a minha navalha nova e, além das pastas do caso do rapaz queimado, uma toalha embrulhando uma saboneteira grande, fechada, que ele não abriu. Mas, tivesse o Ramires se dado ao trabalho de examinar a saboneteira, teria encontrado um trinta e dois prateado, o revólver do pai de Marco.

Fechei a bolsa.

O Ramires disse que ali não havia mesmo nada. E só então retomamos a nossa descida.

# Quarto caderno

*A sorte é o último fim das coisas.*

UM BICHEIRO

Na ocasião em que eu e Heloísa reatamos, após nossa primeira separação, eu lhe dei uma coisa diferente. Tinha achado um poema bonito e copiei um trecho dele num cartão-postal com a foto da ponte Maurício, as pessoas para lá e para cá trajando vestidos longos, sombrinhas, chapéus. O poema dizia mais ou menos assim.
    Falem de mim como sou e nada menos, nem soado em qualquer malícia. Digam de alguém que amou sem razão, porém bem demais. Alguém sem zelo fácil, mas se alarmado, perplexo ao extremo. Alguém cujas mãos, como as de um bárbaro, atiraram fora uma pérola mais rica que seu clã. Alguém que, de olhos vencidos, embora estranhos ao humor dissolvente, chora tanto quanto as seringueiras que entornam sua pele de goma alva e medicante.
    Heloísa ficou impressionada, mas disse que um cartão desses não resolvia nosso caso. Que daquela vez não, porque agora ela era outra e, afinal, sabia do que eu realmente era capaz.

O estopim de tudo foi aceso num dia em que desci antes mesmo de fazer a barba e dei com o Ramires bem cedo, nas escadas, sozinho. Daí lhe agradeci o amparo fora de seu turno, a paciência dele com minhas tonturas e com aquela cena mais dramática, no chuveiro de cima, quando então madame Góes, também a postos para me ajudar, chorava mais do que ajudava. Foi nessa conversa que ele me disse ter interrompido a medicação. O que eu vinha tomando agora eram basicamente bolotas de farinha, e não a receita prescrita por doutor Ênio. Depois de me dizer isso, o Ramires completou que, apesar de tudo, eu podia ajudar com os novos pacientes. Três ou quatro tinham chegado naquela mesma semana. Madame Góes foi imediatamente contar a eles uma história estupenda sobre a necessidade da transformação, e como Belavista havia de ser o lugar certo para aquilo. Eram todos gente muito simples e em sua maioria vindos do interior. O Ramires não usou nem uma vez o termo alma-grátis, mas disse que a chegada deles, no fim de semana, era uma perturbação. Então insistiu outra vez que eu poderia ajudar como quisesse.

Não respondi à oferta de meu amigo, apenas lhe dei um abraço forte.

Sentei com ele um pouco, nas escadas, antes que a clínica despertasse, e me abri. Abri o coração. Naquele mesmo dia, na noite em que ele me referiu a piada da velha com o leiteiro mudo, eu, irritado pelo desmame dos remédios, relatei o restante da fábula que tem sido minha vida aqui, e também a dos trabalhadores no verdão. Pactuamos ali mesmo. De madrugada, tomando uma Coca às escuras, aguardando o Ramires voltar com a chave do gaveteiro onde estavam minhas coisas, decidi que começava para mim um novo tempo.

Creio que tal mistura de circunstâncias foi a gota d'água para o que se passou em seguida. Acabamos levando adiante uma ideia que já não sei se foi minha ou do enfermeiro. E com isso se fortaleceu a minha ligação a ele e a madame Góes, estreitada, de primeiro, na calada da iniciativa de ambos, que pararam com meu tratamento e me estenderam a mão, sem que eu realmente tivesse lhes pedido nada.

Muita coisa acontece conosco que só depois nos damos conta das suas razões. O auxílio em meio a uma desgraça é, em geral, um caso desses. Lembro que, na semana que se seguiu àquele fofo e infeliz estampido, eu assistia à mãe de Marco alisar sua cabeça, olhar para mim e lhe apertar de leve a testa, passando as unhas por cima das suas sobrancelhas, espantando com isso a lembrança do acidente que lhes alterou o rumo em família.

Menino, menino, ela dizia ao meu amigo, e com a ponta dos dedos desenrugava sua birra contra Fátima, que mais cedo tinha nos caçado no jardim. Então sua mãe se vira para Marco e lhe puxa de leve a orelha. Veio com seu vestido de babados, sentou na cama dele e a barra lhe engoliu metade da cabeça, cobrindo um lado de seu rosto. Ela se mexe, com seu cheiro de pó de arroz e lavanda, e eu, suado dos gritos e dos soluços de Marco, sujo de terra, queria lhe dizer que ela me aplicasse mais outra porção de parafina com manteiga de cacau.

Deitado, meu amigo lhe abraça a cintura, dá seu sinal, puxa de leve uma ponta de saia, dizendo que já era hora daquela gente ir, de sair dali, de mandar o povo lá de baixo embora. Ela entende as razões do filho, daí acena para o corredor, faz assim com a mão, e Fátima deixa de olhar para dentro. A curiosa encosta a porta e sai.

Ninguém entra, mamãe, Marco diz.

O que é isso, meu filho. Virou soldado de polícia? Ela baixa a cabeça com a boca quase lhe engolindo os olhos. Estamos sozinhos e a sua mãe, eu sei, vai nos contar a história de Maria Cara de Pau, a serva afilhada que atende à Senhora do Meio e às suas gêmeas, aquela lenda que já sabemos de cor.

Como será, lindão, que a bela Maria Cara de Pau vai descer dessa vez?

Marco escuta a mãe e faz um aceno, diz que sim, era uma ótima ideia ouvir o bocado que ela sofre. Então sua mãe detalha os vestidos que a pobre bordava para o baile, três peças longas, com rendas, duas para as gêmeas e uma para ela própria, que a bela guardava esperando o momento de lhe tirarem a máscara de pau. Sei que novamente sua mãe vai nos descrever a festa, o anúncio do Príncipe, que quer uma noiva para casar, o alvoroço das donas trancando Maria no sótão, deixando a pobre em casa, com a caraça fechada na marra, destinada a perder o baile e, afinal, a conversa da linda com a ave azulina, um sanhaço-rei que lhe traz a chave da tranca.

É que você está triste, Marco? Ouvindo tudo hoje tão calado, ela diz.

Estou pensando, mãezinha. Posso ir lá? Marco queria saber. Fez a pergunta, mas tinha medo de ouvir que sim, que podia, e ele vá e veja a mancha vermelha aberta na cara de seu pai.

Já, já, certo?

Certo, e então fizeram um trato. Primeiro vamos ouvir a história e ele tenta dormir, fica esperando para ver seu pai amanhã de manhã, daí ela continua. Meu amigo logo lhe pede que passe adiante, evite os detalhes que conhecemos tão bem.

Atento a isso, com os olhos pesando mais e mais, acompanho as mãos finas da mãe de meu amigo, suas unhas laqueadas e compridas que se me agarrassem o pescoço sufocariam seu gatinho manco, enquanto a maravilhosa modista Cara de Pau, uma Maria agora já livre da tranca, corre o baile com os homens mais célebres e, seduzido por essa visão, o Príncipe lhe segue o valsado, está curioso, muda a ordem das danças para lhe solicitar a próxima. Na história, a moça ri e lhe concede a vez. Sabe que aquela é a sua chance.

É o momento deles, meu amigo diz.

E o Príncipe abraça aquela cintura fina, Marco. E ela se apoia no ombro largo que é o dele, sua mãe responde.

Vão dançar até que ele reconheça que essa moça é a própria Maria Cara de Pau, hem, mãezinha?

Agora dona Teca nos observa, muda de posição, abre o lençol e afofa o travesseiro de meu amigo, desliza até a pontinha da cama. Sei que precisa ir, encerra esse jogo, nos cobre com o lençol e continua a história de pé. Ela busca um fecho novo, antes que batam à porta e Marco perca o sono. Ele não lhe puxa mais a ponta do vestido. Dona Teca enrola a mantilha no pescoço e dá um passo para trás, vai sair do quarto. E, eu, morno e metido nos panos da cama, só quero isso.

Mãe, Marco diz.

Ouça, Marquinho. Para o baile, Maria desce com o antigo vestido de noivado, o que foi da Senhora do Meio. Ele próprio antes era exagerado, longo, mas agora foi todo desfeito pela bela Maria num tubo alvo e vazado. Os plissês bem curtos. Branco. Digno de uma noiva moderna.

Sua mamãe tem cuidado com as palavras que usa para ir apagando a voz. Anda de costas, em direção à porta, nos larga um beijo soprado da palma da mão. Um passo para trás e ela encosta a porta, adeus mãezinha. E dona Teca sai, nos deixa com aquela imagem sussurrada, o ponto final em que a bela Maria, afilhada livre da figura de pau, rainha daquele baile, centro dos corações, das línguas, das mãos, dos anéis, essa bela desce até o salão como uma bomba, vestindo seu modelito longo, alva e de par com o mármore e os lençóis, distante como a menina vizinha, comprida feito as mãos de seu pai segurando o trinta e dois prateado. É essa Maria que quer nos tragar para o poço do sono, moça linda e orgulhosa, modista dos peitinhos duros e, agora sim, noiva de um príncipe que afinal manda prenderem a Senhora do Meio. Mas a velha dá um berro e vira fumaça, escapa transformada em cinzas, enquanto a nossa Cara de Pau sai do baile com seu ar de esposa-será, plenamente vingada, com os convidados em volta se perguntando, já vai tão cedo, minha linda, ah, e por quê?

Meu amigo é, e sabe que é, uma pedra no sapato da família. Junta latas de cera e areia dentro do quarto, enche a casa de pó, risca fósforos perto das cortinas e chega tarde para as refeições, com as unhas pretas, sempre sem avisar que vem comigo. E, vindo lá de trás, entro arrastando os pés de lama como se fosse um bandido, tirando gritos até de Sebastião vigia, o manso, e também de Fátima ruça, que fala pouco, mas corre demais e se gruda na cola de Marco, rodopiando um pedaço de estopa que, queria ela, fosse um chicote estalando nas costas do menino da casa.

Ouviste, Jura? Vem.

Então, rápido como o quê, afasta aí, rapaz. Dou sinal e pulo para o lado dele cheirando a pó e teia de aranha, pegajoso de goma arábica, ainda sujo do visgo da arapuca daquela tarde. Estamos os dois sonolentos de manhã e tosse no quarto trancado com a luz de um abajur de canto. Daí me livro dos lençóis, levanto da cama, enfio meu pé sem talas numa pantufa e vou deslizando como se fosse de patinete pelo assoalho, aos pulinhos, devagar. Abro a janela e dela vem um banho de luz azulada, da lua estalada inteira por cima das nuvens como uma moeda boiando em fumos de carvão, os flocos escuros indo para longe, levando dali a chuva. E, de um impulso só, sento no parapeito e me encosto ao gradeado branco, olho para fora, lá e cá, daí me viro para dentro do quarto e vejo do outro lado, no rasgo da porta trancada, a maçaneta de vidro faiscando como o rabo de um cometa, brilhante por conta da claridade que entra pelas grades e vem com o cheiro da rua.

    Por que você não dorme, Jurandir? Vem dormir, amigão, ele diz.

    Você fala isso, mas se pego no sono você me mete porcaria no ouvido.

    Que nada, Jura. Vem dormir. Cama boa, rapaz.

    Vou já, já.

    Vem nada.

    Estou dizendo, Marco.

    Juju.

    Cala a boca, hem, eu digo.

    O que é que há, Leão Coroado?

    Não me chame assim. Já falei.

    Baixo a voz, caso alguém esteja por trás da porta. Depois me viro e paramos com aquilo. Marco me dá as costas, deitado, coberto na minha cama, que fica sendo dele, porque na outra, ao lado do guarda-roupa grande, às vezes dorme Fátima ou a sua mãe, ou alguma visita. Então roço as costas na grade da janela, arrepiado, penduro o corpo para dentro, agarro nas vergas de ferro, me viro para fora respirando fundo e ali vejo o vão com a silhueta da cidade, o teto das casas, as luzes tremulantes vindas dos postes, os postes como troncos crespos plantados nas vias mais largas. Daí, me inclino com a cara na noite, fico olhando o relevo dos telhados, o topo dos casarões com as cumeeiras, as pinhas, os Apolos e as Dianas enfeitando beirais que servem de passeio para os gatos tatearem no vão, afastando as telhas, fuçando os manguitos na caça das ratazanas. E, com isso, Iracema às vezes late acordando o mundo.

    Vê só, Marco, eu convido meu amigo, mas ele me responde com aquela velha afronta.

    Jurandir, a fera Fátima tem razão. Pai adotivo não é mesmo um pai. O sangue é que é um suco especial.

Puto. Chupão. Cala a boca, Marco. Vai dormir, eu grito com ele, e salto do parapeito, dou marcha a ré até me acocorar entre o guarda-roupa e a cama, no ponto escuro do quarto, de onde vejo meu amigo coberto, mexendo as pernas, estirando um pé delas, desenrugando o lavor da colcha que Fátima forrou mais cedo, na de visitas, sabendo que essa era a minha. Forrou para mim, mas bem ali foi parar o meu manhoso amigo.

Naquele meu mês com ele, após o estouro de seu pai, ouvindo o trilado do vigia de quarteirão, o vigia passando na rua da frente, com Iracema latindo para o céu, às vezes eu pensava no rosto branco e estarrecido da atriz Dorinha Mei, que parece com a própria Fátima, de tão magras que são, a ruça e a estrela do filme *Quem matou o advogado?*

Meu amigo se virou para mim. Jura, você acha que sou bruto com quem gosto?

Não respondi.

Vem. Vamos dormir, ele disse.

Então me levantei e fui para a cama.

Senti o cheiro de goma nos panos, o lençol alvejado no varal e passado por Fátima na prancha de pau-ferro. Debaixo da colcha, rocei sem querer as talas da perna rija no lastro de madeira. O barulho rascante me deu um arrepio.

Marco continuava calado. Depois, voltou à discussão de antes. O sangue, sim, é que é um suco bem especial, hem, Jura?

Meu amigo comentava de novo o fato de eu nunca ter conhecido meu pai.

Melhor assim, Marco, eu disse. Para não precisar ver o sangue do velho choramingando com a cara aberta no chão. Não é?

Ele escutou e se encolheu. Pensei que fosse partir para cima de mim, na pancada. Mas ficou calado. Talvez tomasse as talas de minha perna como um lembrete do empurrão que me desmontou o joelho. Não fosse por isto, a menção àquele tiro de revólver teria sido a gota que nos levaria aos tapas, rumo ao assoalho.

 Marco apenas rolou na cama. Então levantou a cabeça do travesseiro e me encarou com os olhos parados. Não demorou até trazer como desforra aquela sua lista campeã. Largou o rol dos nomes que usava para mim quando andávamos entre murros e risadas pelas ruas da capital, ah, Jujura, ele disse. Filho do breu. Esplendor que cai. Bruteza do muque. Rei dos sósias. Sol nas carecas. Limo das mães. Amável-admirável. Delgado e grosso. Pai das colites. Forte holandês. Osso duro e manjado no mau conselho. Poderosíssimo, pacientíssimo, obedientíssimo. Mole e humilde. Desconforto nas noites. Amante dos cintos frouxos. Umbigo das virgens. Coquetel de moça--branca. Imperador sem pastéis. Pium da vida. Mira e bala sem alvo. Vigia caolho. Refúgio da rua. Raridade. Xará dos potentes. Bom coçado. Capataz delicadíssimo. Sabedoria das babas. Bonzão. Morador de parques sem aves. Força dos impedidos. Luz dos zonzos. Corredor invisível. Putíssimo. Cheiro das botas maternais, meu Flash Gordon açu e pedrês, Marco me chamava, e adiante seguia com sua provocação.

 Hoje não lembro exatamente quantos nem quais eram, ou quando foi que meu amigo me cunhou cada uma dessas troças, que em minha cabeça se confundem com abraços em meio à desgraça banhada no fausto daquela casa.

 São essas coisas que agora me voltam e já não tenho a certeza da concatenação dos eventos, quais foram os primeiros e quais, os resultados. Se éramos ou não, por aqueles dias, habitantes da cama de visitas. Se acaso a mãe de Marco não nos contava a mesma história de antes, noite após noite, a que ouvi pequeno enquanto passava, dali para acolá, longas temporadas de favor acompanhado de uma tia morta há tanto tempo.

    De tudo isso agora chega apenas uma vaga lembrança de meu tom pedinte, que já não sei se é o caldo dos afetos ou a transformação deles operada quarenta, cinquenta anos depois, na calada dos sonhos em que ainda me pego respondendo a Marco, me deixa subir no teu colchão, alterna a vez comigo, me atende neste pedido, conta como é debaixo das saias e dentro dos calções, livra seu pai, divide os times de botão, corre dos cães, sobe e pula das árvores, some embaixo da cama, ouve as histórias da sua mãe e tranca a porta quando ela sair, me escuta chamar contigo os nomes de matuto, criatura, cabacinho, papa-mel, chupão, encangado, galalau, marimbondo, mete a mão no meu calção, espirra de mim aquela borra pérola com cheiro de jasmins catados dos vestidos de Maria Cara de Pau, esse incrível tubo branco, o vestido da bela encarapuçada, seu pai no quarto com o destino na cara, o destino de quem não aceitava a tranca, o mundo sem as formas do estouro. Aliás, foi desse modo como dona Teca encerrou a história daquela maravilhosa consolação.

    Muito longe da morosidade das virgens, Marquinho, a bela Cara de Pau sobe as escadas. A gente do baile vendo seus saltos riscarem o mármore que agora é dela. E lá vai Maria vestindo um modelito clássico, essa moça que sabe quem é. Não acena nem ri, segue somente os modos que ela própria ditou. Pois, atento a isso, alguém grita lá de baixo, do salão, do nada, com todo mundo parado na mulher de branco, e esse alguém diz. Ali vai, minha gente, isso sim, uma verdadeira salamandra de cetim e açúcar.

\* \* \*

Os dias iniciais da nova fase de meu tratamento foram uma grande surpresa para mim. Doutor Ênio falou que eu não estava querendo ver o que se passava à minha volta, o que havia de verdade. Disse mais, que íamos mudar de estratégia. Eu agora iria passar tudo a limpo, precisava escrever diariamente, para ele, sem deixar nada de fora. Então lhe perguntei a que horas eu ia fazer isso. Ele falou que, em troca da minha nova atribuição, estava autorizado a diminuir a participação nas sessões de trabalho manual.

Gostei da ideia.

Ao mesmo tempo, nos relatórios agora deveriam constar as atividades da minha rotina, e não apenas os sonhos e as memórias que pus nestes cadernos. Pensei um pouco e disse a ele que tudo bem, mas ia precisar de uma ajuda extra.

Que ajuda, Jurandir?

Uma máquina de escrever.

Ele prontamente repetiu o que eu tinha dito. Uma máquina de escrever?

É. Para que eu possa continuar sem ficar com a mão doída. Já que agora vou escrever ainda mais.

Então doutor Ênio me deu razão e prometeu arranjar isso, mas insistiu na importância de eu manter meu ritmo durante aquela próxima semana. Foi dessa forma que encerramos a entrevista às vésperas das pequenas férias que ele tanto queria tirar.

Já agora, na descida de Belavista, fiquei revendo esses eventos ocorridos há pouco e que me levaram até ali, com o meu amigo enfermeiro. O Ramires, falante, baixando a ladeira de São Bento com os sanduíches de banana e molho de carne que tínhamos preparado, queria saber se eu já estava pronto para nossa empreitada. Acabou outro cigarro dos meus e, no fazer, chupou a pontinha sem filtro, depois jogou o resto no chão.

Fiz uma cara feia, recriminando sua atitude.

Não me dê uma de madame Góes, Jurandir. Por favor, ele disse. Nunca tive a tara da limpeza.

Na hora lembrei do que ela gostava de lhe dizer, que a rua era de quem trabalhasse pela rua, mas fiquei calado. Ri para o Ramires e ele riu para mim. Então retomamos a descida.

Já dava para ver o poço do Varadouro, com os carros fazendo o circular, uns indo dali para dentro, rumo aos Bultrins, outros seguindo na direção sul, a caminho do centro do Recife. Quem segue pela via da costa, passa pela escola dos aprendizes de marinheiro, depois pelo cemitério dos ingleses e, então, dá quase ao pé dos novos silos do Instituto do Açúcar e do Álcool. Aquilo era um império. Marco, uma época, colecionava mapas e nós dois passávamos as tardes fazendo essas rotas de cabeça, ou desenhando a lápis outros planos com estradas de rodagem e edificações gigantescas, que se fossem erguidas deixariam tudo aquilo ali à frente parecendo uma cidade de brinquedo.

O Ramires faz esse trajeto com frequência. Gostava de ir ao centro passear e, às vezes, tomar qualquer coisa no bar das docas, o mais famoso dali, um que é chamado Tulipa Efêmera. Infelizmente, segundo ele, apesar do nome com atrativo de flor, o bar em geral só é frequentado por homens.

Acabei nunca tirando o curso de técnico em agronomia que tanto queria fazer quando jovem. Lembro que, anos atrás, um colega de escola me mandou um cartão de natal. Ele mora fora, é engenheiro em São Luís do Maranhão. Já tinha esquecido essa vontade de me diplomar. Mas ele foi buscar longe, pois não me via há tempos, e no cartão se refere a mim como o agrônomo romântico do grupo que na nossa cidade fazia a preparatória para a escola técnica da capital. O nome dele é Jaime, conhecido na época por suco de goiaba, já que esta era a sua bebida favorita. Não passávamos mesmo de um bando de garotões.

    Enfim, a moral é a seguinte. Os que não nos veem por muito tempo acabam guardando consigo, como se dentro de um refrigerador, conservadas, aquelas nossas vontades de bem antes.

    Muitas dessas vontades, longamente degeladas pelo curso dos anos, nós mesmos logo descartamos. E os votos de natal, vindos da memória de meu velho colega, o tal Jaime suco de goiaba, me mostraram outra vez o quanto daquilo tudo, que antes eu tanto queria, já tinha realmente ficado para trás.


Marco era proprietário de uma companhia de ônibus. Estávamos na garagem da empresa, quando chegou um dos carros da frota trazendo um homem preso. Meu amigo me pediu que eu segurasse o ladrão pelo pulso. Eu, não sabendo o que ele iria fazer, segurei. Tendo o braço do malfeitor bem firme, Marco se aproveitou da situação, tomou distância e arremessou uma faca, como no circo. A faca furou o peito do preso.

    Fiquei indignado com aquilo e pedi que meu amigo garantisse o tratamento do homem. Ele deu a entender que não ligava muito para isso, mesmo assim de agora em diante trataria melhor o ladrão.

    Já havia uma roda de gente em volta querendo ver o sofrimento do preso, que chorava e tremia de dor. Estava tão revoltado com o fato que levantei o pano da camisa e mostrei um revólver grande e branco, que portava na cintura, a fim de que o povo se afastasse e Marco mudasse de atitude. Infelizmente aquilo não impressionou ninguém, então fui para casa.

Chegando em casa, vi que Heloísa tinha um amante. Morávamos num prédio, e eu, subindo pelas escadas de serviço, para não ser notado, vi um rapaz que saía justamente do nosso apartamento. Dei uma surra nele e fui confrontar Heloísa com o outro arrastado pelo braço. Disse que ela nunca mais voltasse para mim, que ela não prestava. Mas, no calor dessa discussão, de repente acordei.

Seu Constantino examinava algumas das cartas que eu tinha escrito a Heloísa. Ele dizia que as primeiras cartas estavam bem escritas, porém as últimas ele não sabia como se podia compreender, pois a ortografia era péssima. Dizia que aquilo não era português, nem língua nenhuma, tão ruins eram as minhas últimas cartas. Enquanto ele lia meu material, eu tinha medo de que ele prestasse atenção ao conteúdo privado, pois nelas eu descrevia vários dos sonhos que tive em Belavista e, também, algumas relações. E se ele notasse isso? Porém, creio que o velho Constantino só estava preocupado com o meu nível de cultura, com o fato de eu não praticar bem a minha própria língua materna.

A cena muda e estou diante de uma mulher que tinha se apaixonado por mim. Eu não queria nada com ela. Então ela tira de dentro da bolsa uma fotografia e me diz uma coisa.

Veja, Jurandir. Veja aqui como sou bonita.

De fato, por meio da foto, essa mulher me fez uma chantagem. Ela era lindíssima e, assim, conseguiu que eu lhe prestasse mais atenção.

De novo a cena muda e eu estava diante de um tanque cheio d'água. Alguns homens tentavam esvaziar a água e não conseguiam. Cheguei mais perto e descobri por quê. Era sabotagem de algum trabalhador descontente. Encontrei o defeito e, com um murro no cano, clareei o local obstruído e vi que a água já começava a descer. Saí dali com Amaral, nosso gerente, que no sonho aparece como um homem gordo e feio, lembrando o senhor Borche. Amaral me dizia que ia entregar o posto, porque já era tempo de se aposentar. Dizia mais, que queria ir para um pequeno sítio que ele tinha, longe de todo mundo, e ali trataria dos assuntos dele e não dos de nenhum patrão. Tentei impedir que ele entregasse a vaga, mas foi inútil. Então saí do verdão comentando a situação com Marco Moreno, que caminhou comigo até a garagem da casa dele.

Uma vez lá, entrei no carro de Marco a fim de voltar para Belavista. Mas meu amigo me disse que não, que iríamos fugir dali juntos, que o tratamento tinha acabado e todo mundo sabia que eu já estava melhor.

Minha perna doía um pouco mais. Chegamos ao Varadouro e o Ramires me mostrou a parada da lotação que precisávamos tomar. Descemos até ali calados. Quando alcançamos a esquina onde já havia uma pequena multidão de gente esperando, quis tirar uma dúvida com o meu amigo.

Você foi dizer a ela o que vamos fazer no fórum?

Claro que não, Jurandir. Mas que pergunta, o Ramires disse. Pensa que sou demente? Madame Góes ia na mesma hora dar parte a doutor Ênio.

Então você disse o quê?

Disse que a gente ia ver a fábrica da Tacaruna, que você tanto queria. E comprar sapatos. O que é verdade, pois a gente está precisando.

Demoramos tanto a descer, eu disse.

Você demorou a criar coragem.

Que história, Ramires.

Demorou, sim.

Como seria se fôssemos fiéis aos amigos, eu disse, até o fim, hem?

O Ramires parou e balançou a cabeça, me negando a noção. Já vi que você voltou a essa filosofia burguesa.

Ah, vá se foder, Ramires, eu disse.

Estamos tratando de causas coletivas. Eu sei, eu sei, Jurandir. Você não é nenhuma Madre Teresa. Você já disse, o Ramires falou. Mas veja. O mundo é um só, meu amigo.

O mundo é de quem paga pelo mundo.

Bom, desse jeito a gente não sai do canto, ele rebateu, querendo parecer que tinha desistido da viagem e ia voltar para a clínica.

Espere, Ramires, falei.

Que foi?

Minha perna está ruim. Espere aí.

Vamos mais devagar então, ele disse.

Acho que não nasci para me arrastar pelos caminhos.

Ninguém nasceu para isso, querido. Tudo bem?

Tudo, falei, e ficamos em silêncio um tempo.

Depois continuei com o que vínhamos conversando antes. Ontem tive outro sonho rápido, além daqueles que contei, com Marco, Heloísa e meu sogro. Tinha comprado um sabonete Triomphe. Daí entrava numa banheira de louça e, quando abri o embrulho, dentro vinha um sabão amarelo, vagabundo, de uso veterinário. Não um fino, odor de rosas, como eu esperava que fosse. Fiquei indignado e resolvi reclamar com o vendedor. Mesmo assim, tomei meu banho com esse sabonete ordinário.

Au, au, o Ramires fez, imitando um cachorro, e depois riu. Você entrou pelo cano de novo.

Não é isso.

Ah, não? Então como foi?

Eu tomava banho e não achava ruim.

Se acomodou ao engodo.

Não, Ramires. Eu provava uma coisa diferente. Só isso.

Que besteira, ele disse, então deu um passo à frente, fez sinal com a mão e uma lotação colorida reduziu para entrar na fila dos ônibus. Várias pessoas queriam tomar a condução ao mesmo tempo.

Meu amigo pôs um pé no estribo do carro e me puxou pelo braço.

Fui sentar entre duas senhoras gordas. O enfermeiro acabou indo parar num dos bancos da frente.

Um rapaz moreno, da camiseta de time de futebol, bateu com a mão no capô, gritou os nomes dos bairros adiante e, entre eles, disse Cais do Apolo. A lotação acelerou e houve um silêncio. Ainda era cedo, todos seguiam para o trabalho. Eram os tais madrugadores de que o Ramires sempre falava. Íamos com as janelas da cabine de trás praticamente fechadas.

Então coloquei a mochila no colo, cruzei os braços por cima dela e tentei não pensar no cheiro de suor com perfume que embebia tudo ali dentro.

Estava, não sei bem por quê, procurando minha casa no alto de um monte. Vinha subindo a rua, que era muito inclinada, e sentia dificuldade em caminhar. Veio então um homem falando enrolado e me ajudou a subir. Ele lembrava o senhor Borche. Finalmente cheguei em casa, no topo da ladeira, que era em Belavista. Abri a folha direita da porta da frente com uma chave enorme, como se fosse uma chave de igreja, e entrei. Lá dentro fiquei esperando Heloísa vir me visitar, o que para minha surpresa ela logo fez. Conversamos muito e ela me disse que não queria mais continuar com a nossa vida conjugal, pois achava a vida livre bem melhor. Fiquei nervoso e não soube o que fazer. Não tinha bons argumentos. Então ela foi embora e, quando fechou a porta, levou a chave. Notei que, na verdade, estava numa prisão suja e por companhia de cela tinha duas velhas que me incomodavam muito. Uma delas era madame Góes, a outra não sei quem era.

Querendo me agradar, madame Góes tira por baixo da saia outra chave, mais reluzente e bem menor. Pensei, agora não tem paisano que me segure. Abri a porta e saí na disparada. Na primeira esquina vi que o acaso me favorecia. Montei numa lambreta estacionada na calçada e desci a ladeira a toda velocidade. À certa altura não aguentei a descida, tive medo de perder o controle e achei melhor continuar o resto do caminho a pé. No fim da ladeira parei num sobrado que era um antro de prostitutas. Lá perguntei pela madame da casa, dizendo que era seu velho conhecido. A mulher que me atendeu fez uma cara de quem não estava acreditando no que eu dizia e, por isso, precisei explicar que eu era o Jurandir, da tecelagem dos Prado. Só assim ela foi chamar a dona da casa.

Do portão ouvi alguém gritando lá dentro. Meninas, uma voz dizia, aquele Jurandir que roubou as fitas do Cine Diamante está aí fora. Logo em seguida soaram gritos de pavor. Achei essa suspeita um absurdo e concluí que não iam me deixar ver as meninas. Então, chateado com aquilo, fui embora dali.

Enquanto a lotação corria, eu pensava em Heloísa, nas viagens que fizemos até ali. Não por esta via norte, mas pela estrada vinda do interior. Se não tivesse sido tão impetuoso no dia em que meu sogro telefonou lá para casa, antes da minha partida para ver o tal doutor Nilo Rangel, no Recife, talvez hoje estivéssemos juntos. Durante a viagem rumo ao centro, fiquei lembrando disso e também da minha vinda para cá, meses atrás, guiando a perua da tecelagem e contando as tantas placas de trânsito perfuradas a tiro, espalhadas ao longo dos acostamentos da rodovia.

Segundo o Ramires, os militares andam impacientes. E ali, passado o quartel da Marinha, ao lado da escola dos aprendizes, de fato comecei a notar soldados com fuzis a tiracolo guardando os prédios mais importantes, os cruzamentos das avenidas e, é claro, as suas próprias casernas. Abril tem sido um mês pesado. Ninguém vai poder negar isso.

Na clínica, quando mostrei a foto do rapaz queimado ao Ramires, ele ficou uma estátua de sal, considerando o desastre, o horror na expressão daquele rosto moço. Para o enfermeiro não há diferença entre o sofrimento de uma pessoa e o de um continente, ele sempre volta a isso. Discutindo sua ideia fomos parar, ainda na ocasião de minha abertura com ele, dentro do gaveteiro térreo, no começo do corredor que dá na cozinha de Belavista. Nunca tinha estado ali. A porta ficava sempre trancada à chave.

Naquela noite o Ramires voltou para onde eu estava tomando minha Coca e me disse, Jurandir, venha cá. Venha.

Então fui atrás dele.

A clínica continuava às escuras.

Nem eu nem o Ramires íamos acender as luzes, pisávamos de mansinho trocando confissões e reclamando do mundo. O enfermeiro parou diante de uma porta pintada de branco, para se parecer com a parede, e enfiou a chave no trinco. Quando empurrou, veio um cheiro de madeira e óleo de peroba. Ele passou a mão no canto e acendeu uma luzinha de teto. Até então só tinha visto doutor Ênio ali dentro. Do chão para cima, nos quatro cantos da saleta, havia móveis de gavetas e portas com fitas de papel branco mostrando dois pares de letras em cada uma delas.

Mas o que é isso?

O Ramires disse que era o arquivo da clínica. Ele se acocorou e buscou nas plaquetas um sinal da organização de doutor Ênio. Não havia mistério nenhum. Eram os sobrenomes dos pacientes indicados pelas iniciais, na sequência alfabética distribuída ao redor do cômodo. O enfermeiro usou uma chave menor, do mesmo molho, e abriu uma portinhola na fileira de baixo da estante que estávamos olhando. Dali ele tirou minha bolsa, a que Heloísa tinha me preparado antes da viagem.

Não pude esconder a sensação que me bateu, vendo aquela velha sacola de lona marrom. Mal meu amigo puxou essa carga de dentro do móvel, apanhei a alça mais longa das mãos dele.

Calma, Jurandir. Ninguém vai tirar o que é seu.

Eu sei. Só quero ajudar.

Mas calma.

Eu sei, Ramires. Tudo bem.

Ali estavam as minhas cadernetas e também as pastas do caso do rapaz queimado, com o cartão que Minie tinha me feito. Por acaso tinha um pedaço de mim nesses papéis? Pode ser. Afinal, como diz madame Góes, tristeza antiga nos faz boa companhia. Com perigo de parecer imodesto, quero repetir uma coisa que já disse a vocês. Creio que fui bom. Tão bom quanto se pode ser, nas circunstâncias em que me encontrei vida afora. Mas nossos limites apenas são visíveis quando já não temos mais o que perder. Meu pacto com o Ramires foi um pouco disso.

Saímos da saleta e ele trancou a porta. Voltamos para a cozinha.

Distante dos quartos, a luz não incomodava ninguém. Uns cachorros latiam lá longe. Coloquei a mochila em cima do balcão e tirei dali a pasta dos anexos, com a foto do garoto dentro.

Olha aí o que lhe falei, eu disse, e passei adiante aquele instantâneo deprimente.

Foi então que meu amigo ficou parado naquela expressão, parecendo, como já referi, uma estátua de sal. Seu rosto se engelhou e, fixado naquilo, ele trocou a foto de mãos várias vezes. Não lembro exatamente o que o Ramires me comentou em seguida. Enquanto ele examinava a cena, eu revia o cartão de Minie, que há tempos não tinha comigo. Um pouco dessa moça voltou, com toda sua vibração, no pleno contraste com o rosto do enfermeiro, que servia de espelho para o rapaz queimado. Ficamos assim um tempo.

Foderam com o menino, ele disse, de repente.

Isso mesmo, respondi.

Então o Ramires chegou mais perto e, antes que eu desse por mim, puxou o cartão que eu estava olhando. Talvez pensasse que se tratava de outra foto do rapaz queimado.

O que é isso? Um boneco soprando uma bola?

Não, eu disse.

Onde está o resto, quem é esse sem corpo, é você?

Isso não é nada, Ramires. Não faz parte da história.

Foi seu filho quem desenhou?

Fiquei pensando na naturalidade da pergunta que o enfermeiro tinha me feito.

Há, Jurandir?

Foi meu filho, sim. Era uma brincadeira, Ramires. Mas faz tempo.

Ele me devolveu a foto e o cartão. Depois me deu um abraço. Era o segundo da noite.

E agora, voltando ao trajeto que planejamos juntos, eu via a cabeça grisalha do Ramires pelas costas, ele sentado no assento da frente, seguindo comigo na lotação até o Cais do Apolo. A luz lá fora já era intensa. O motorista corria embalado pela música do toca-fitas, que um cantor de voz timbrada, às antigas, largava de peito aberto. Enxugue as lágrimas e pise fundo que essa estrada não tem fim. O cantor dizia mais ou menos isso.

O Ramires gesticulava acompanhando a canção e, de vez em quando, olhava para trás, a ver se na cabine de passageiros eu ria das suas imitações. Mas o fato é que eu não ria de nada, mesmo assim ele não perdia a pose. Já as senhoras ao meu lado iam animadas a não poder mais. A verdade é que quase todos ali estavam adorando o pequeno espetáculo do enfermeiro.

Dizem que o velho Enric Borche teve uma grande desilusão na vida e passou a morar no andar de cima do Instituto de Beleza, mas completamente só. O que me comentaram, em confiança, foi que ele estava noivo de uma moça a quem amava muito, uma paraibana mais jovem, e às vésperas do casamento ela fugiu com um lutador de boxe. Desde esse dia ele nunca mais quis saber de se casar. É um tipo muito agradável e presta vários serviços úteis no seu lindo Instituto. Fui seu cliente em mais de uma ocasião.

 Menciono isto porque, na lotação, dentro da mochila que ia no meu colo, estavam os cadernos com o que já tinha contado a Minie e a Heloísa, coisas de gente como o velho Borche e casos da minha amizade com Marco. Muito embora tivesse referido ao Ramires alguns dos sonhos recentes, sobre a desconfiança de meu sogro e as aventuras de meu amigo de juventude, aquela outra parte que datilografei em papel almaço e colei, página a página, num caderno de capa cartonada, isso até então tinha ficado fora das nossas conversas. Para que ia dar ao enfermeiro detalhes do desespero de Marco, ele ainda menino, chorando a miséria do pai, as implicâncias de Fátima, a companhia encontrada apenas em mim e na cadela Iracema? Tudo isso faria parte da história que, segundo Minie, só eu podia contar, a verdadeira relação dos fatos que levaram a família de Marco à desunião e, depois, a perder a tecelagem onde trabalhei uma vida e meia.

Do gaveteiro, quando o Ramires puxou minha bolsa de dentro, recebi de volta a ponta dessa meada que me ligava a tanta coisa, coisas que durante o tempo de minha internação em Belavista já pareciam ter ficado para trás. Antes mesmo de apanhar as pastas, as minhas cadernetas e o desenho de Minie, revi de cabeça o que já tinha organizado sobre meus primeiros dias no Recife. Talvez por isso, pelo tom da conversa naquela noite, tenhamos acertado a ideia da descida. São apenas dois os tipos de gente que há no mundo, os que vivem só e os que gostam de companhia. Mas acontece, de vez em quando, de um e outro se darem as mãos e acenarem para uma condução de aluguel, rumo a qualquer lugar que não se sabe bem se é puro engano ou aquilo que chamamos, mais seriamente, de um destino traçado a quatro mãos.

Estava andando pela tecelagem quando vi um operário brincando com uma bola. Tomei a bola dele e disse que ali não era lugar de brincadeira, que isso não se fazia em serviço. Ouvindo o bate-boca, o chefe do setor chegou perto e entreguei a bola a ele, dizendo que, se Marco Moreno Prado visse aquilo, não ia gostar nada. Sendo assim, o trabalhador voltou a uma conduta mais aceitável.

Logo depois notei que o próprio Marco vinha andando com um grupo de pessoas, entre as quais estavam alguns dos meus antigos colegas. Todos me cumprimentaram satisfeitos e perguntaram se eu já estava de volta do tratamento. Respondi que tinha tirado umas férias, mas ainda precisava voltar à clínica por mais um tempo. Passei a acompanhar o grupo e vi que a tecelagem tinha passado por várias reformas. No final do galpão das novas máquinas de carda agora havia aquários com peixes e viveiros cheios de pássaros. Tudo era muito bonito e de bom gosto.

Entrei no verdão com meu amigo e subimos até um escritório moderno, com as paredes cobertas de estantes e painéis de madeira. Estávamos a sós, e eu, muito emocionado com aquilo, lhe disse o quanto admirava o trabalho dele como novo diretor da empresa. Lembro que nos abraçamos longamente.

A cena então muda. Eu agora estava internado. No hospital, três médicas tomavam conta do meu caso. Uma delas se vestia de homem. Eu recebia vários presentes e, entre eles, alguns vidros de perfume. Em dado momento bati com o pé num dos vidros e cortei o dedo. Como o corte tinha sido profundo, procurei alguém para tratar. Não encontrei ninguém. O pé já estava inchando, quando finalmente achei uma enfermeira que me deu uma injeção. Antes de a enfermeira aparecer, falei com um homem numa língua estrangeira, porém ele não me ajudou muito. Creio que este homem era o pai de Heloísa, que andava desanimado comigo, pois eu não tratava bem a filha dele. Seu Constantino então achou que eu deveria ir para o Rio de Janeiro estudar. Desconfiei da proposta, mas gostei.

Estando tudo acertado, fui com o pé enfaixado ver Heloísa num hotel onde ela estava. Subi para o quarto andar e, enquanto Heloísa acabava de fazer minha mala, fui até a varanda do quarto. De lá de cima vi que uma pequena multidão de gente conhecida esperava que eu dissesse alguma coisa. Então acenei e comecei a falar para eles. Adeus, minha gente, eu dizia. Aqui é bom, mas vou me aprimorar no Rio. O Rio de Janeiro é bem melhor, mais adiantado. E, ouvindo isto, as pessoas lá embaixo urravam e me davam adeus.

Abri minha bolsa e de dentro dela tirei uma das pastas. Comecei a folhear a lista de documentos com as versões do desastre do rapaz queimado. Mesmo sem rever a foto dele nem o cartão de Minie, aquelas frases de antes voltaram à minha cabeça.

Ao nosso querido protetor desejamos boa viagem. Que esse caso se resolva e o senhor volte logo. Eram os votos das meninas do verdão.

Mas ali também ia o seu inverso. Diga a eles que pelo menos o menino ainda está vivo. Este era que tinha sido o recado de Nilo Rangel, para eu insistir com o defensor trabalhista.

O fato é que o lembrete pode ser que não fosse para defensor nenhum. Ninguém no sindicato ia receber notinha da empresa via Jurandir. O escritório que representa a tecelagem no Recife já devia ter repassado isso ainda na fase do preparo para a disputa em juízo. Com certeza tudo já tinha sido feito meses atrás. E agora, aonde era que ia esse processo?

Aquele lembrete era para mim. Pelo menos o rapaz ainda está vivo. Não há dúvida. Pensava nisto e, folheando os papéis, ninguém na lotação me incomodava.

É engraçado como a aparência do trabalho deixa os outros, os curiosos, mais tranquilos. Não vão mexer com quem lê uma pilha de documentos. Imaginam que ali vai um trabalhador preocupado com alguma coisa, ou atrasado na tarefa que já deveria estar pronta e que agora segue, no último minuto, arranjada no colo, a caminho do serviço.

De repente um silêncio me tirou da leitura. Levantei a cabeça e vi que meus companheiros de viagem estavam olhando o movimento lá fora, enquanto a lotação corria seu caminho. O Ramires tinha desistido de animar sua plateia. Então se virou para mim, com os braços para trás, apoiados no encosto do assento dianteiro, e fez um gesto apontando para minha mochila.

Arruma isso aí que já vamos descer, ele disse. Só falta uma ponte.

Olhei pela janela e vi que íamos cidade adentro, a lotação tinha dado várias voltas deixando e apanhando gente. Um prédio grande, azul, com uma imensa rotunda de metal, parecendo um palácio, passava à nossa esquerda. O que é isso, perguntei ao Ramires. É a Faculdade de Direito?

Meu amigo riu. Sua geografia está fraca, ele falou. É a Assembleia, meu caro. O clube social da classe dominante.

O copiloto da lotação, que trajava a camiseta número dez, gostou da resposta e também sorriu, balançando a cabeça, dizendo que era isso mesmo.

Arrumei minhas coisas e fiquei vendo a paisagem. Do outro lado da rua, acompanhando sem pressa a mão da nossa via, rolava marrom e grosso o Capibaribe. Íamos passar por cima dele. Quando a lotação fez a curva à direita, tomando a subida da ponte, revi o prédio da Assembleia. Para quem não more aqui, minha confusão não era descabida. Nos postais que tinha recebido de Marco Moreno, enquanto ele cursava advocacia, lembro de um edifício largo e retangular, coroado com uma calota volumosa. Era a faculdade dele. Nesse tempo, meu amigo voltava menos ao interior. E os cartões com praias, prédios e algumas dessas pontes aos poucos começaram a rarear. Qualquer estudo demanda esforço, o das leis demanda mais ainda. O que ele me mandava daqui era um sinal de que, vira e volta, ainda pensava no colega. Pensava no seu caro Jurandir, mesmo estando, como estava, imerso naquela dedicação que lhe garantiu os frutos de uma carreira de sucesso, e da qual tive notícias pelas páginas dos jornais que eu lia, recortava e colava durante os intervalos de almoço no verdão.

A primeira coisa que vi quando saltamos da lotação foi um homem jogando bola com dois filhos na grama de uma pracinha que quase não tinha espaço para aquilo. Havia ali três ou quatro palmeiras muito altas, bem mais altas do que qualquer uma na minha cidade. O Ramires pagou nossa corrida ao rapaz da camiseta de clube e, mal pusemos o pé para fora, os ambulantes chegaram perto querendo vender amendoim, loção, bombons e coisas miúdas. Eram em geral meninos descalços, do tamanho dos que estavam na brincadeira de bola com o pai.

Digo que era um pai com seus filhos porque todos eles se pareciam muito, tinham quase as mesmas feições. A mocinha e um menino menor jogavam contra o rapaz, que driblava os pequenos com um sorriso no rosto. A bola, a bem dizer, era só um fiapo de bola.

De repente o Ramires bateu nas minhas costas e pediu que fôssemos andando. Disse que às vezes eu tinha mania de ficar admirando malandro. Não respondi a isso. Então partimos para a caminhada.

Muita gente ia e vinha na rua comprida, que seguia entre o casario de sobrados e lojas com três e quatro andares, ou até mais. O calor já era grande, bem maior do que em Belavista àquela mesma hora. Sem perceber o Ramires apressou o passo, e fui atrás. O acordo era que só comeríamos depois de encontrar o prédio com o escritório dos advogados. Mas o enfermeiro gosta de andar falando, eu não. Ele tinha parado com as brincadeiras da lotação e agora me dizia de que modo os militares iriam se portar dali em diante. Imaginei como era que ele poderia prever isso. Enquanto seguíamos na calçada sombreada pelas marquises, as bicicletas passavam das ruas para o lado dos pedestres, competindo igualmente com carros e gente.

O Ramires seguiu comentando seu assunto predileto. Notei que muita gente cuspia no chão, mesmo na frente das lojas e estabelecimentos com guardas ou vigias. Passamos por uma moça com o corte de cabelo parecendo um rapaz. Ela vendia produtos de beleza puxados de dentro de uma sacola grande e colorida. Nas esquinas os vendedores de pipoca mais sérios tinham carrocinhas com rodas de pneu, caçamba de vidro e um rádio tocando música alta. Também tinham aquela velha buzina de ar, com uma pera de borracha e a boca de corneta, que na realidade é o sinal mais típico deles.

Quando se anda nessas calçadas é preciso cuidado para não trombar em ninguém. Já o ritmo de Belavista, ao contrário disso, pela tranquilidade da rotina, se parece com o da minha cidade. Não digo na paisagem, mas na sequência calma das coisas mais ou menos iguais, com as mesmas pessoas reaparecendo. No centro do Recife era diferente. O trânsito me pareceu violento. Os carros, muito variados. Um elétrico passou voando e praticamente furou o sinal vermelho. Eu e o Ramires atravessávamos para lá e para cá, em qualquer ponto da rua, e no fazer ele ia me mostrando as fachadas do comércio mais interessante.

Em certo momento parei para apanhar fôlego e lhe fiz uma pergunta.

Tem muita criança por aqui, não é? Estou vendo muito menino pequeno, falei.

Onde tem gente, tem criança. E por aqui também tem escola. Você queria o quê?

No passo daquela causa, que nos movia na surdina buscando um prédio de salas e escritórios próximo ao fórum, o Ramires me pareceu nervoso. Lembrava aquele outro Ramires do dia em que fizemos a leitura da peça de doutor Ênio, ele muito calado, com a boca e os olhos mostrando um jeito fixo nas coisas. Talvez seja impressão. O que quero dizer é que a maneira como ele deu seguimento à minha curiosidade sobre as crianças me fez pensar que o enfermeiro seguia outro plano. Tinha alguma coisa em mente que não queria me dizer.

Qual é mesmo o endereço, Jurandir? Mostre aquele papel.

Já disse, Ramires. Cais do Apolo. Edifício Concórdia. Nilo Rangel, advogados. Não tem erro. Não vou abrir minha mochila aqui, bem no meio da rua.

Edifício Concórdia, ele repetiu.

É. Edifício Concórdia. Você conhece todos os prédios da cidade?

Não. Claro que não.

Então, Ramires. Vamos lá. Quando chegar no Cais, você pergunta.

Calma.

Calma o que, Ramires? Você está repetindo a conversa. Você não sabe o que quer. Não sabe para onde vai. Qual é a trama aí? Diga. É melhor dizer logo. Eu não vim aqui a passeio.

O Ramires parou e abriu os olhos para mim. Disse que eu baixasse a voz e ficasse tranquilo, que ele não ia bagunçar o plano. Mas precisava parar num lugar, ali mesmo. E que com essa discussão eu não tinha escutado o que ele me avisou antes.

Ora, ninguém é obrigado a gostar de mim. Estou para os outros como uma pedra. Se me deixam em paz, não incomodo ninguém. Acho que, naquele momento, eu respondia isto ou mais ou menos isto ao Ramires, quando de repente ele me interrompeu de novo, falando por cima, e apontou para uma casa de duas portas. Já tínhamos virado a esquina várias vezes. Só o enfermeiro sabia que lugar era aquele. Pois, isto era justamente o que eu queria saber. E ele disse que ali era um restaurante português.

Levantei a cabeça e vi uma placa com a figura de um peixe enorme. Segundo o Ramires, já tínhamos chegado. O nome do restaurante era Ilhas.

Aqui tem comida tradicional, Jurandir. Você não gosta tanto de comida tradicional?

Não respondi a isso, apenas olhei o relógio. Ainda não eram oito horas da manhã.


Numa carta recente Heloísa reclamou de mim, dizendo que às vezes me refiro às coisas usando a palavra errada. Por exemplo, vargina. Com erre. Em vez de, simplesmente, vagina. Ou doentil, em vez de doentio. Verdade que não lembro de escrever assim. Mas Heloísa raramente se engana nessas coisas, então não protestei.

Cada pessoa tem seu modo de atar a razão dos eventos e o laço com os seus semelhantes. É possível que ela visse nas cartas o sinal de que algo ainda ia mal comigo. De que eu não tinha mudado, e ali os erros demonstravam minha falta de interesse no tratamento.

Nunca fiz esforço para esconder nada de minha esposa. O fato é que nos conhecemos há tanto tempo que se eu tentasse esconder, seja o que fosse, ela adivinharia. Pus no papel uma relação mais ou menos exata de minha estada na clínica. E imagino onde Heloísa vá guardar nossa correspondência, inclusive a minha última carta, que agora segue seu caminho independente de mim. Quando chegar, vai para o lugar certo. Heloísa mete tudo que é importante dentro do cesto que tem na prateleira de cima do guarda-roupa. Ali estão os cartões que André nos escrevia nas datas festivas e também um vidro de tampa com cachinhos de seu cabelo, quando ainda era fino e mais claro, do tempo de antes de ele começar a falar. O tal cesto dá bem a impressão do que foram esses anos que passamos juntos, nós três. Num dos cartões de natal que Andrezinho nos mandou, na expectativa de ganhar um presente que lhe adivinhasse as vontades, nosso filho copiou uma mensagem que por muito tempo ressoou no meu bolso, nas vezes em que, rindo, levava comigo o tal cartão para um dia mais chato no trabalho. Eu Sou Feliz. Era o que aquela letrinha de criança se esforçava em dizer. Heloísa conseguiu que o menino escrevesse várias frases antes mesmo de saber de cor o endereço de casa. E, no entanto, este último talento eu julgava ser bem mais importante, caso ele se perdesse e precisasse dizer a alguém onde morava. Eu Sou Feliz. Vocês vão concordar que esta declaração tem certo impacto para um pai.

 Enfim, eu e o Ramires tínhamos chegado ao canto onde ele queria parar. Muita coisa passava pela minha cabeça. Não ia discutir com o enfermeiro. Ele então fez um gesto com a mão, me chamando, e entrou no restaurante sem pedir licença. Uma vez lá dentro, foi rumo a cozinha, acho eu, dizendo que voltaria dali a pouco.

 Sentei próximo ao balcão na lateral do restaurante. De lá do fundo veio um senhor risonho, de rosto estourado e com um avental branco. O homem se dirigiu a mim com familiaridade.

 Pois então é hoje que vocês vão ao fórum, há? O velho me olhava esperando uma resposta.

 Vamos ver umas coisas lá perto, eu disse. Senti raiva do Ramires, que espalhou nosso assunto sem me consultar. O velho já sabia, e isto não poderia ter sido conversa naquele pouco tempo desde que o enfermeiro passou lá para dentro. Vamos, mas é coisa particular, falei. Nada importante.

 Esse amigo do Ramires se chamava Gonçalo ou Gonçalves. Não peguei o nome dele direito. Talvez fosse

Gonzaga, como o cantor da minha terra. O velho me ofereceu uma xícara de café e disse que àquela hora ainda não tinha nada pronto. Depois apontou para uma moça morena sentada contra a parede, por trás do balcão, e que eu não tinha percebido. Ela descascava uma bacia de camarões. Era óbvio que o enfermeiro já tinha estado ali e conhecia essa gente.

Das minhas demandas com o governo nunca consegui nada. Então boa sorte para vocês dois, o tal Gonzaga disse. Eu sei é que Ramires está animado com isso. Gente como ele tem tempo para perder.

Ele não está perdendo tempo nenhum, falei.

Não está, mas pode ser que perca. E muito. Quem sabe? Não é? Nunca vi processo durar menos de cinco anos. Em cinco anos não sei nem se ainda vou estar por aqui. Não é mesmo? Ninguém sabe quando vai passar desta para a outra.

O senhor é espírita, perguntei.

Não. Eu, não. Deus me livre.

A moça morena sorriu por trás do balcão.

Quis saber se ele conhecia o Ramires fazia tempo.

Gonzaga disse que até nem se lembrava mais. Eram como irmãos, só que o enfermeiro era mais moço.

A morena riu de novo, não entendi por quê. Quando levantei a cabeça, a ver qual era a graça, dei com o Ramires de pé ao lado dela segurando um camarão grande pela barba. Ele fazia alguma chicana. Talvez ameaçasse jogar aquele bicho rude dentro do vestido da moça. Fiquei parado na situação. O enfermeiro voltou do banheiro parecendo outra pessoa. Aquele instante de ausência, que ele tinha me anunciado, durou quanto tempo? Quinze, vinte minutos. Ou até mesmo uma boa meia hora, não sei. E nesse tempo o velho Gonzaga tinha me cozinhado na conversa.

O Ramires deixou o camarão na bacia e se aproximou da mesa em que estávamos. Agora trajava uma camisa de gola alva com um paletó azul-marinho de duas peças.
Ficou ótimo, Gonzaga disse.
Ficou mesmo, falei. Era só isso, então? Você veio até aqui trocar de roupa?
É, Jurandir. Você não acha melhor aparecer por lá com a farda da ocasião?
Não sei, Ramires. Acho que não tinha necessidade disso.
Mas estragar não vai, ele disse. Hem?
Você quer impressionar essa moça ou resolver nossa questão?
O Ramires abriu um sorriso. Eu só quero impressionar você, Jurandir.
Então Gonzaga, não perdendo a oportunidade, deu um assobio longo e balançou a cabeça. Queria dizer, com isso, que ali entre nós dois havia a suspeita de um interesse amoroso.

Nos momentos mais urgentes madame Góes redobra seu tom celestial. É dela que me lembro quando, apurado no segundo de uma calamidade, algum comentário me vem à mente para resumir a situação e dar àquilo o sereno tom do final dos tempos. Tudo que é simples custa trabalho. Mais do que a idade nos rói a solidão. Só a esperança irmana os aflitos. São coisas que ela costuma dizer. E não é segredo nenhum que o Ramires se refere a essas súmulas como sendo filosofia destinada a para-choques de caminhão. O enfermeiro não para e pensa nas coisas pelo que elas valem. Tem ideias que vêm de longe. Age por instinto, um instinto que provavelmente herdou dos livros amarelados que o pai escondia embaixo do colchão, dentro das panelas, entre as roupas da mulher. E, no entanto, fala o coração quando fala o Ramires. Vem dele um quê de compadre bonachão.

Acontece que vivemos como sonhamos, sozinhos. Assim me disse um peixeiro. E, descontada aquela ininterrupta presença do divino, com esse peixeiro madame Góes concordaria. Tenho certeza.

Pensava nisto, quando, depois da piada de mau gosto, o tal Gonzaga nos ofereceu um lanche por conta do Ilhas. Nem eu nem o Ramires quisemos comer nada, não estávamos com fome. Meu companheiro tirou aquela provocação por menos e, vendo como eu tinha ficado, comentou o que ele achava que fosse a minha faceta mais verdadeira.

Que nada, o Ramires disse ao velho. Jurandir fica só limpando a vista no culote das mais moças. Não é, companheiro?

Não respondi àquilo. A morena do camarão também não riu.

Gonzaga deu um abraço forte no enfermeiro e veio me apertar a mão. Não sabia o que pensar desse velho que fazia graça, mas nos oferecia comida e pouso no seu restaurante, para não falar naquela roupa fina. Imaginei qual teria sido o acerto entre os dois.

Espere aí, o Ramires disse, ainda falta uma coisa.

Estávamos na soleira do Ilhas com as mochilas a tiracolo. Ele voltou até uma das mesas e apanhou um pingo de azeite na palma, depois esfregou as mãos e passou na cabeça, puxando os cabelos para trás. Quando colocou os óculos de sol a transformação estava completa. Meu amigo parecia um lorde italiano, apenas moderno, com seu aspecto grisalho e a pele muito bronzeada.

Saímos dali e retomamos a caminhada.

Mais adiante, olhei para trás uma última vez e vi o velho Gonzaga na fachada de seu restaurante. Ele ainda nos dava um adeus muito animado.

*Quase nos reduzimos a simples espíritos.*

UM FIEL

Naqueles primeiros instantes em que eu e o Ramires entramos no centro, e a lotação passou pela cabeceira das pontes, lembrei da última carta que escrevi a Minie relatando um sonho que tive com ela, já em Belavista. Até hoje essa ainda segue sem resposta. Imagino como ela deva ter recebido a notícia das minhas saudades.

    Atravessamos tempos de muita dureza na época em que passei a ver Andrezinho com menos frequência. Heloísa estava fria, sempre irritada comigo, mesmo quando acertávamos de conversar com calma sobre como contornar a situação. Nosso menino também ia numa idade complicada, aos treze ou catorze anos.

    Ninguém merece sofrer. Um pai não pode querer ver um filho sofrer, são palavras de Lantânio. E os calendários jamais medirão a idade dos corações. Tem gente que nasce para pai, tem gente que nasce para filho.

    Saí do Ilhas praticamente abraçado ao Ramires. Andamos desse jeito meio quarteirão ou mais, depois despegamos. Continuava querendo acabar aquilo que não dei fim, a história que Minie tanto queria ver percorrida até o fecho. Disse ao enfermeiro, queixo erguido, que por tudo que se passou comigo, pela força que ele tem me dado, de amigo recente, do peito, não podia deixar de lhe dizer uma coisa. Era o último caso que tinha para lhe contar sobre o meu filho.

Mas só se for agora, o Ramires falou, com um cigarro na boca, e bateu no meu ombro. Então caminhamos pelas ruas da cidade buscando um lugar para sentar à beira do rio. Ainda agora volta a vontade que me deu de lhe dizer que fôssemos logo tomar uma no Tulipa Efêmera ou visitar o sobrado dos comunistas, onde Odilon Nestor foi preso. Porém, cada coisa tinha seu tempo. E o fato é que eu ainda continuava calando muito, sem poder falar direito, sentindo sempre que o peito podia, por qualquer coisa, me acontecer de saltar pela boca.

A garota Tutti Frutti tinha sido uma vedete famosa no meu tempo de juventude. Quando eu e Heloísa voltamos a ficar mais ligados, costumava dar à minha esposa esse mesmo apelido, e ela achava graça. Nossa reaproximação foi uma fase que até hoje mexe comigo. Comentei isto com o Ramires.

Minie, num momento mais complicado, falou que eu tinha o que ela chamava de disponibilidade zero. Que não prestava atenção às pessoas e só vivia metido dentro de mim mesmo. Não era homem para ela e talvez nem sequer fosse bom amigo, já que ela não podia bater o telefone numa noite em que estivesse mal, pois eu não atenderia. Então que amizade era essa?

Nosso afastamento foi gradual. Eu e Minie paramos de almoçar no verdão e também fora. Não sei como, Heloísa notou. Um dia fomos à feira e ela me perguntou se eu queria que levássemos um coelho. Em casa fui ajudar como pude, descascando legumes, separando as panelas, cuidando de provar o sal do caldo quando ela me pedia a opinião. Do que me lembro, acho que cozinhamos calados, mas alguma coisa naquele silêncio já soava diferente. Minha esposa, percebendo isto, fazia por onde eu soubesse o que ela achava que sabia. É difícil descrever esses acertos, porque não são combinados, tampouco são meras coincidências. Heloísa serviu o coelho na travessa grande de barro que compramos numa viagem, por ocasião de uma daquelas excursões que ela gostava de fazer, indo visitar lugares diferentes e até alguns da minha infância. Pedra de Buíque, Brejo da Madre de Deus, Bezerros. Enfim, ela sabia que o coelho, naquele serviço, me dizia qualquer coisa de bom, de antes, que vinha lá de trás, um tempo que era outro, em que esses cardápios aconteciam sem nos chamar tanta atenção.

A graça da rotina veio vindo, e veio firme. Tinham sido quantos anos juntos? De vez em quando também tocávamos no assunto da minha aposentadoria, e quando que seria o tempo ideal para que eu me afastasse do verdão.

Mas não vou é deixar o pessoal na mão, Heloísa. Quem vai cuidar do que está correndo na diretoria, eu disse, e então repeti a pergunta, pois ela tinha ficado calada.

Minha esposa falou que, se eu quisesse um tempo para descansar e voltar às minhas coisas, precisava passar logo isso adiante, porque do contrário seria pior.

Pior, como?

Jurandir, ninguém vai saber cuidar desses processos. Da orientação que você dá. É melhor colocar alguém antes de você sair. Alguém que você mesmo possa treinar, não é?

Ah, é aí que você se engana, garota Tutti Frutti, eu disse. Coitado de quem for depender de uma mão minha. Falei isto enquanto mexia na caçarola do coelho, por trás dela. Heloísa me ouviu e ficou sorrindo. Talvez risse do apelido de vedete que lhe dei naquela altura, ou então estivesse achando graça de meu interesse em ajudar na cozinha. Repeti que ela era a minha garota Tutti Frutti, então fui e lhe dei um abraço pelas costas.

    A tal vedete de verdade, que encantou corações e dançou na casa Cintilante, na pequena cidade de minha juventude, depois de madura precisou contar com o benefício de antigos clientes. Cada qual lhe fazia um favor, e dessa forma ela se queixava mas seguia de pé, comendo o que lhe dessem para comer. Pois a fatal, que tinha se lançado a paixões tão fortes, feito e desfeito famílias, precisou viver das graças alheias, no total contrário de seu espírito livre, que tanto fascinava os moços e revoltava as já casadas.

    Referi essa história da garota Tutti Frutti algumas vezes a Heloísa, porém não naquele dia, na cozinha, tenho certeza. Naquele dia chamei uma pelo apelido da outra, somente isso. Lembro que comemos o coelho com feijão-verde e, então, eu e a minha senhora Tutti Frutti fomos para o quarto. Nem era noite ainda, porque aquele era o almoço, um almoço de sábado, eu acho, mesmo assim fomos dali direto para o quarto. E esta sequência foi o que ficou para mim daquele período melhor, que finalmente recomeçava para nós dois.


Depois de uma longa caminhada eu e o Ramires paramos à cabeceira da ponte Maurício para comer os sanduíches de Belavista.

    Forrei um guardanapo de papel na mureta que dá para o rio e o Ramires sentou em cima. Havia que cuidar do paletó do Ilhas, que precisava voltar para as mãos do garçom-chefe até as cinco da tarde, ou então o tal Gonzaga, amigo dele, podia achar ruim.

    Enquanto lanchávamos, eu assistia aos meninos brincarem ali perto. Muitos pulavam de um caisinho que tinha lá embaixo, com degraus antigos feitos de pedra, descendo até a água. Os mais afoitos se esgueiravam pelos pilares da cabeceira e pulavam dali, da marquise, causando maior impressão.

    Será que esse rio é fundo, Ramires?

    Sei não. Uns vinte metros, talvez.

    Vinte metros?

    Sei lá, Jurandir. Vinte. Ou cinco. Ou dois. Que diferença faz?

    Faz muita. Vinte metros é muito fundo para um rio.

    O enfermeiro não rebateu. Talvez pensasse, como eu pensava, no quanto custaria abrir a boca para falar do que nos incomoda e dar, daí, um retrato do que acreditamos ser mais justo. Nestas circunstâncias, quem não tinha medo de virar a mesa? Ou cair, ficar na segunda linha, ver o pó. Sei como é isto. Por acaso vocês sabem? O Ramires sabia?

    Como me disse uma vez um borracheiro, acidente sem culpados é mais fácil de se aceitar. Pensava nisto, enquanto meu amigo comia com cuidado, para não estragar sua fantasia emprestada. De vez em quando ele parava para fazer um comentário sobre os militares ou me perguntava o que era mais que eu tinha para lhe contar.

    É cedo para beber, Ramires, eu disse, respondendo às insinuações dele sobre irmos atrás de uma garrafa de qualquer coisa, ali perto. Segundo o enfermeiro, ouvir histórias com a garganta molhada é sempre melhor.

    Insisti que era cedo demais para aquilo.

    Cedo? E garrafa tem relógio? Veja bem, o Carlos Prestes sorri desses paradoxos do tempo e da liberdade.

    Isso quer dizer o quê? Realmente, Ramires. Que porcaria foi essa que você falou agora?

    Jurandir, o futuro. Temos que fazer um brinde ao futuro.

Pouco me importa o futuro, meu caro, eu disse. E invoquei a grande madame Góes. O futuro pertence somente aos espinhos no coração de Jesus.

Naquele dia infeliz, eu dizia ao Ramires, entrei no bar do Neco e peguei uma mesa perto da parede, ao fundo. Ainda estava com dor de cabeça, as mãos suadas. Sem bicicleta, a caminhada era mais chata no calor de dezembro. Tinha saído atrasado do verdão para casa e, de lá, fui chegar ao bar no escuro. Um garçom conhecido me estranhou àquela hora. Sentei para pedir uma Coca, mas demorei até chamar por ele. Fiquei pensando no que tinha acabado de me acontecer.

Uma hora antes, quanto passei para dentro da cozinha, vi a confusão. De fora já tinha escutado as vozes dos dois. Heloísa e André gritavam um com o outro. Ela dizia que de jeito nenhum ele ia poder sair com os amigos na noite de natal. Que natal era uma data para se comemorar em família, e ela já tinha falado isso mil vezes, agora ele precisava entender. Heloísa falou que o assunto estava encerrado, porém continuava gritando a mesma coisa.

André tinha feito catorze anos. Sua voz mudou, era o começo de uma pequena voz de homem. Quando falava, o que saía parecia vir de um cone ou de um tubo de papel. Essa rouquidão dos rapazes, quando passam pela adolescência, é uma marca da idade. Mostra bem o que é a confusão entre o menino e o adulto. Já íamos longe da época em que Andrezinho ficava comigo na cama, caçando com a lanterna as ilustrações de um livro antigo que eu tinha no colo. Ele próprio manobrava o facho da luz e de vez em quando se espantava com as figuras esquisitas.

Mas este André de agora era outro, quase não nos falávamos mais. Ele passava horas trancado no quarto ou fora de casa, com amigos que nunca chegamos a conhecer bem. Qual a necessidade desse segredo todo, e essas portas fechadas, para quê?

 Quando entrei e vi o rapaz de pé, diante da mãe, enfrentando a negativa dela, querendo, ele próprio, de sua cabeça, escapar da ceia que Heloísa estava preparando para as festas, não pude deixar de me intrometer. Também me pareceu que os dois exageravam. Fim de ano tem dessas ansiedades. As férias se misturam ao décimo terceiro e trazem saudades de tudo. Ficamos mais complicados. André dizia que esta época ele odiava, que natal com a família era uma amolação e ele não queria isso. Disse mais, que tudo era mesmo uma merda, ou uma farsa, não lembro bem, mas notei o imenso desapontamento no rosto molhado de Heloísa. Foi aí que interferi.

 Isso não. Você respeite a sua mãe, falei alto.

 Heloísa talvez ainda não estivesse chorando tanto, não sei. Lembro que ela deu um passo para trás. André rebateu meu comentário olhando para ela. Vocês vivem nessa mentira, o senhor se escondendo da gente, André disse, com a voz fraca. Mas não me olhava, fixado que ia na mãe, a quem, parece, já tinha dito muito mais. Adivinhei o que talvez fosse o motor daquilo tudo. Ele de vez em quando me ouvia discutir com Heloísa. Quando isso acontecia, André, estando em casa, batia as portas para depois sair com os amigos e voltar só bem mais tarde. Um desses amigos que não conhecíamos era o famoso Kid Couto.


Destino do meu destino, dali em diante qual era o caminho mais justo? Eu me pergunto isto e ainda não sei a resposta. Tudo que quero é evitar o exagero.

 Briga entre pai e filho é comum. Mas aquela era nossa primeira, e vinha acontecer justamente na época em que eu, como dizia ao Ramires, já estava de novo mais próximo a Heloísa. Creio que, em parte por isso, dos lados ali em disputa o de André ficou sendo o mais fraco. Ele estava sozinho. Meu filho estava só e eu não via isto. Via apenas Heloísa e via Minie, na pouca distância que já começava a se firmar entre nós todos.

Você respeite a sua mãe, eu disse. Está me ouvindo?
E quem aguenta mais? O senhor fica raparigando por aí, e quem vai aceitar isso, André gritava, me respondendo, e foi quando passou da linha. A bem da verdade, ele disse que quem aceitava aquilo só podia ser uma vaca, era o que a sua mãe devia ser. Vaca de curral, ele falou. Uma vaca de curral, era ela.
Está claro que isso não podia continuar.
Discutimos, com as vozes alteradas e as alegações agora mais graves.
Soaram gritos de todos os lados, ou pelo menos assim me pareceu, e de repente essas razões todas me esgotaram a paciência.
Para que bater boca com um fedelho que não entendia da vida, que ainda precisava arranjar moça para ir fazer o que devia fazer? Gritei isto para ele.
André me ouviu e fez uma careta estúpida, vermelha.
Heloísa deu outro passo para trás, com as mãos laçadas uma na outra e a boca aberta, os olhos siderados. Praticamente já ia fora da cozinha. Ali parecia não ter mais espaço para essa mulher, cabia só o berreiro dos seus machos.
André não disse nada, fez um jeito debochado, de quem queria rir mas não podia. Pff, ele fez, de moça fácil o senhor entende. Foi então que levantei a mão e bati com a palma na cabeça dele.
Bati no meu filho e quis bater de novo.

Eu e André éramos praticamente da mesma altura.

Parti para cima dele, que agora me olhava lívido. Quando desci o braço novamente, ele desviou da pancada, apanhou meu punho direito e ficou segurando a minha mão no ar. Pus a outra no cinturão, para que ele visse, lembrando ali o meu direito de pai.

Heloísa assistia a tudo isso do canto da porta que dá para fora, os dois parados, um gritando com o outro. Ela de vez em quando fazia que ia sair da cozinha, para não ver mais, porém logo voltava invocando ali os amores de Deus.

Pude sentir o hálito do adolescente contrariado soprando no meu rosto. Tínhamos os braços pegados um no outro.

Heloísa pediu de novo que, por tudo que era sagrado, parássemos com aquilo. Que já estava resolvido e ela não ligava para o exagero do menino.

André, quando ouviu a mãe, maneirou. Pensou que tivéssemos alcançado a ponta de uma trégua qualquer. Largou meu braço e foi me dando as costas. Começou a andar. Ele ia sair pela porta dos fundos, pensei, e se saísse não voltava.

Mas as coisas tinham mudado muito. Aquilo não era possível.

Estiquei a mão e apanhei André pela cintura da calça, de costas. Puxei com força. Ele tentou andar, resistindo, e suas passadas deslizaram no chão liso da cozinha. Então André sapateou e caiu com tudo, me puxando junto.

Caí por cima da perna fraca, ainda agarrado à calça dele.

Heloísa gritou.

Um grito de Heloísa me incomoda mais do que qualquer outra coisa, ela sabe.

Lembro que Heloísa ficou de cócoras, talvez pensando que pudesse ajudar ou estender uma mão dali, mais perto de nós dois.

André se virou para mim e, esperneando, tentou com as mãos arrancar a minha, que ainda ia agarrada à sua cintura. Ele estava agora com o rosto voltado para mim, bem perto, olhando para baixo, para as nossas mãos emboladas, agarrando e desgarrando os panos da roupa dele.

Então cerrei um punho e dei no rosto do menino.

Isso me veio de repente, quase sem intenção.

Bati com o baixo da mão, como um martelo.

O menino gritou, foi como se um bicho gritasse. Depois livrou as mãos de mim, para cobrir o rosto. E foi só ali que soltei a roupa dele.

André deitou com o corpo para longe de mim, voltado para o chão, as pernas estiradas no meio do caminho. Ele disse uma coisa feia, uma palavra que nunca diria a um pai, se tivesse conhecido meu pai.

Dizem que meu pai tinha os olhos verdes, mas não lembro disso.

Então juntei as duas mãos. Fiquei de joelhos, apoiado na perna melhor, enquanto a outra me doía como se algo esticando dentro dela fosse partir. Levantei os braços o quanto pude. Desci com meu peso nas mãos fechadas, o tanto que cabia nelas, e com esta carga apanhada de mim mesmo, marretei de vez um joelho de meu filho.

Dias mais bonitos, de outras eras, me entendam por favor. De verdade, me entendam. Madame Góes fala que só mesmo a esperança irmana os aflitos. Mas o fato é que tudo isto, que contei ao Ramires, foi há mais de ano. Minha situação agora era outra. Ninguém hoje é obrigado a gostar de Jurandir.

Na hora seguinte, André se trancou no quarto e eu e Heloísa ficamos na cozinha, fingindo preparar qualquer coisa para comer dali a pouco. Obviamente não conseguimos fazer nada além de lamentar a questão e, nisto, também nos desentendemos. Ela punha a culpa na minha ausência de casa, nas noites que passava fora ou chegava tarde, mudo, e aqui, segundo ela, meu filho via a falta de regras na família. Que família era essa que eu tanto queria, Heloísa perguntou. Naquele instante não havia como emendar mais nada. Foi quando decidi voltar ao bar do Neco e tentar acalmar minha perna, que latejava a mil, enquanto a cabeça só me apontava a direção da janela de Minie, com a luz acesa ali já tão perto, por trás do luminoso do Ferrabrás.

O Ramires, agora, trajando seu uniforme de garçom, com o crachá do clube Atlântico, de tarja verde e amarela, o cabelo alisado para trás, de óculos escuros, fazia uma bela figura. Quem sabe? Quem ia notar que ele na verdade fosse um enfermeiro? Eu próprio não notaria, se não conhecesse o tipo de antemão.

Não acabei o sanduíche no caisinho dos meninos, disse a ele que tinha ficado sem fome. Caminhamos um pouco e fomos sentar num boteco sem movimento, na esquina do Cais do Apolo. Edifício Concórdia. Nilo Rangel, advogados. Não tem erro, é ali, o Ramires apontou.

Finalmente, esse era o lugar. Tínhamos chegado. Quem disse que eu não ia chegar nunca?

Mas a justiça tem suas maquinações. Não podíamos entrar sem mais nem menos.

Sentamos e, depois de um tempo de conversa, puxei minhas coisas para cima da mesinha do boteco. A saboneteira no fundo da mochila fez um barulho, mas o Ramires não notou. Estava preocupado em pedir outra cerveja, e que esta viesse mais gelada do que a outra, ele disse ao rapaz do balcão.

Enquanto esperávamos, fiquei olhando em redor. O boteco Estrela era curto e o balcão, basicamente um cavalete. O rapaz tinha uma camiseta verde, desabotoada, e nas paredes ele pendurou um cromo com uma moça em traje de banho, numa praia, segurando uma garrafa de cerveja grande, o rótulo da marca virado para a frente. Ela sorria com os cabelos claros descendo por cima dos ombros. Além de mim e do meu amigo, havia dois outros homens tomando uma coisa mais forte, eu acho, ou então era água. Mas, a julgar pelo tamanho do copinho, penso que não. Aquilo não podia ser apenas água.


Quando chegamos à praia, uma ternura grande veio e se instalou. Parei o carro, saltei e atravessei a rua. No calçadão, antes de descer para o areal, descalcei e segui adiante com o par de chinelas nas mãos. Ia lentamente. Queria colocar os pés no mar. Era minha primeira vez na costa do estado vizinho, num tempo ainda antes de lotearem a praia do Conde. O vento soprava sem parar. À beira do areal vi uma boneca vestida de branco boiando na marola sob a lâmina d'água. Então me abaixei para apanhar essa boneca.

Minie ficou me olhando do carro. Depois gritou de lá, disse que eu ia derreter, porque era feito de açúcar e, por isso, a água ia me derreter. Minha amiga comentava o assunto da viagem. Era das primeiras vezes em que dirigia sua volks. Ainda na estrada, a propósito de alguma coisa sem importância, de repente ela me disse, Jurandir, você só é grande quando está sofrendo.

Que nada, Minie, respondi. Que é isso?

Com certeza. Parece que para você é sempre assim, ela falou. Já eu, gosto da mudança. Sou pela mudança. Odeio a rotina e estar parada no mesmo lugar. Quero conhecer gente nova. Viver no pino, entende?

Argumentei que não, que tudo era muito relativo e cada qual tinha seu ritmo com as coisas.

Minie respondeu que eu era devagar, que quase nunca queria sair do canto. Aliás, ela disse, quando é que você vai cuidar da questão do rapaz queimado?

Ah, aquele sol. O que restou disso tudo foi um tiro contra nossas vontades de antes. Que pergunta era aquela? Ainda estávamos dentro do carro. Eu me virei para minha amiga e tentei mostrar como ia contente, com ela ali, ao meu lado. Agora eu quero é cuidar de você, eu disse.

Deixe de ser besta, Jurandir.

Foi daí que a conversa piorou. Não chegamos a discutir, mas houve aquele longo silêncio antes de chegarmos à praia.

Então, como disse, quando parei a volks ela continuou dentro, esperando ver o que era que eu ia fazer. Saltei e fui até a beira d'água, onde apanhei a boneca de pano.

Minie veio logo em seguida. Não respondi à sua provocação sobre eu ser feito de açúcar. Ela pediu que eu deixasse a boneca ali mesmo, onde tinha achado, que aquilo era algum trabalho e com isso não se brinca.

Olhei de volta e ri das superstições de minha amiga, tão moderna para certas coisas. Mesmo assim fiz o que ela me pediu.

Então passamos um dia bonito, nós dois trocando beijos com os pés cavando nomes e setas recheadas a sargaço e cascalho, que deixamos no chão como a prova de um tempo mais raro, um rastro de bichos que se conheceram naquela barra de areia e neste consórcio largaram a crônica da sua incerteza. Minie tinha um maiô de duas peças e andava enrolada numa canga de algodão fino, estampado com linhas sinuosas, verdes e vermelhas. Era um pano lindo. Disse a ela que ia pedir que a tecelagem mandasse cem mil peças desse pano para vender no Recife, e que os lojistas iriam anunciar a estampa num cromo com a foto dela lançando o pano no pescoço, fazendo disto um vestidinho que não lhe cobria praticamente nada, ou então ela podia atar a banda à cintura, deixando cair uma barra bem baixa, como a das ciganas. Porque era dessa forma que minha amiga me aparecia ali. E todo mundo ia ficar louco, ou não ia?

Minie disse que eu não tinha mesmo jeito, e no dia que ela fosse comprar pano da tecelagem, era melhor pedir as contas.

Já tínhamos feito as pazes. Estávamos sentados na areia, dispondo do tempo de apenas uma tarde, que passava rápido demais.

Houve um momento em que poderíamos ter ido adiante, se quiséssemos falar a sério. Mas não. Na fadiga dessa intimidade nos guardamos um do outro, não enfrentamos os assuntos mais graves. Também não entrei no mar. Antes do beijo, vi a moça saindo do banho com os bicos crestados pela água, e as marcas alvas do maiô de antes davam a impressão de que ela, de sol a sol, amadurecia aos poucos.

É comum comparar uma mulher a uma fruta, Marco me disse uma vez. Mas isso é errado, ele falou. Meu amigo gostava de poesia. Eu nunca entendi muito bem a poesia.

Deixei a toalha no chão onde estávamos e saí, voltei para o carro.

Mine veio atrás. Não tinha mais ninguém estacionado por ali. Ela me apareceu primeiro no retrovisor. Depois, abriu a porta e entrou, secando os cabelos curtos com uma mão agitada.

Vim ver o que é que você está fazendo, ela disse.
Nada. Ouvindo rádio.
Isso aí não parece com você, ela disse.
Isso, o quê?
Essa música, Jurandir.
Bom. Daqui a pouco toca outra. Não tem problema.
E ela então me abriu o convite de um sorriso imenso.

Comentei isto com o Ramires e ele não me entendeu, via apenas as dimensões do nosso acidente. Mas eu queria lhe falar de outra coisa, de quando tive Minie, ali, pela primeira vez, esparramada no curvim da sua volks azul. Não na minha casa nem no apartamento dela, mas naquele carro parado à beira da praia, no estado vizinho, onde fomos bater nos prometendo uma conversa marcada há tempos, e talvez só por isso ela tenha me aceitado essa aposta na seriedade. Pois, afinal, o resultado foi eu lhe morder os joelhos e cheirar suas pernas, aquele cheiro que é, a bem dizer, o canal rumo a um tempo em que somos apenas o que somos, sem arrazoados nem ideias que nos estraguem a hora. É só assim que esquecemos do passado. No momento de minha amiga, quando ela não pôde ou não precisou mais se segurar, enquanto lhe lambia as ancas e apanhava dela aquele grão que as moças nos dão no beijo mais baixo, ela, com uma mão na minha, me apertou um pouco mais. Foi um aperto de leve, no instante em que seu corpo ondeou e fez aquele arco passando da tensão ao descanso, eu acho, ou do esquecimento à lembrança, não sei. E justamente o que me vem agora, de tudo isso, o mais palpável e grave é esta pressãozinha que até hoje parece ser parte da memória ainda me pesando numa mão.

A rua entre o boteco e o prédio com o escritório de Nilo Rangel é movimentada. De vez em quando corriam ali em frente os elétricos com seus cabos riscando o ar e, dentro deles, os passageiros sentados ou de pé olhando pelas janelas.

    Já passava da hora do almoço. Eu e o Ramires atravessamos devagar, não em frente ao prédio, mas no sinal do cruzamento. Ele pediu que eu também carregasse a sua bolsa, ajeitou os óculos escuros e foi na frente. Caminhamos em silêncio pela calçada que dá na entrada do edifício Concórdia. O prédio é alto e tem um aspecto moderno, com bandas horizontais em azulejo verde, de onde saem aparelhos de ar-condicionado. Lá de cima vários deles pingavam na rua, em cima dos pedestres.

    O Ramires já tinha sido anunciado pelo moleque da moeda.

    Pouco antes, no boteco, ele chamou um menino que zanzava por perto e disse uma coisa, que o tal fosse lá e alardeasse a chegada de gente da promotoria. Diga que estão chegando agora mesmo. Gente da promotoria, do estado. Chapa branca, ele falou, entendeu? Entendeu mesmo?

    O moleque apanhou a moeda sorrindo e saiu em marcha apressada.

    Logo depois, quando entramos no prédio, o Ramires não fez sequer menção de parar no lobby. Simplesmente se virou para o recepcionista e disse, ainda andando, o escritório de doutor Nilo onde é?

    Tivesse ou não ouvido a notícia espalhada pelo moreninho, o homem da recepção, vendo o Ramires trajando aquela roupa com crachá, acompanhado de um assessor, que era eu, nem hesitou. É o duzentos e dois, ele disse. Na sobreloja, senhor.

Meu amigo parou na frente do elevador e fez um gesto, querendo dizer com aquilo que eu apertasse o botão, o que logo fiz. Além do recepcionista, uma servente e duas outras pessoas nos olhavam com curiosidade. A porta então abriu e entramos juntos, sem nos falar. O piso do carro era todo alcatifado. Lá dentro, o próprio Ramires apertou o botão com o número dois. O elevador fechou a porta e, após um solavanco, começamos a subir lentamente.


O enfermeiro, muito à vontade, depois de ignorar as perguntas de uma secretária de óculos, fechou a porta às nossas costas. Estávamos agora frente a frente com o doutor Nilo Rangel, ele sentado por trás de um birô grande, com pés de madeira e tampo de vidro.

Boa tarde.

Boa, o advogado disse, com os olhos fixos em nós dois.

Atravessamos o longo escritório naquela sobreloja. Minha perna já doía um pouco mais.

Chegando perto, o Ramires começou a falar. O senhor tem um processo em mãos. Já despachou ele?

Que processo?

O do acidente na tecelagem, com um compressor. O do rapaz queimado. Sabe?

Sei, o advogado disse. É da parte de quem? Que lhe interessa isso?

Não me interessa nada, o Ramires falou. Mas quero saber como vai. E aonde já chegou. Vim da promotoria. A coisa tem que andar. Não pode é ficar parada. O rapaz precisa de assistência. Justiça é justiça. Isso é assim mesmo.

Houve um silêncio.

Estávamos de pé e eu me apoiei no espaldar de uma cadeira, de frente para o birô.

O advogado olhou meu amigo e sacudiu a cabeça.

Quero saber como vai esse processo, o Ramires insistiu.

Nilo Rangel então sorriu com toda a sua papada e o cabelo oleoso. Ele era redondo como uma porca e chupava a ponta desfiada de um charuto. A conta disto, com o ar-condicionado ligado e a porta fechada, o ar naquela sala era opaco. Notei um cinzeiro de cerâmica na frente dele servindo de peso de papel, por cima do que eu imaginava serem pilhas de requisições e causas pendentes, vindas de longe, dos vários escritórios do verdão.

Muita sinceridade é sempre fatal. O Ramires foi se entregando, tinha falado rápido demais. A bem da verdade, doutor Nilo ria ainda mais porque o Ramires disse trankilo e não, tranquilo, como deveria ser. Que o advogado ficasse mais tranquilo, o Ramires quis dizer, depois de ver a risada naquele rosto imenso e de barba cerrada. Esse deboche incomodou meu amigo, deixou o fantástico lorde italiano, que ali posava de promotor, completamente sem ação.

Resolvi que era hora de intervir. Independentemente disso, falei, a defesa vai solicitar os pareceres.

Quem disse, Nilo Rangel perguntou.

Eu tenho os laudos mais atuais. A advocacia da empresa precisa fazer isso constar dos autos. E tudo vai ter que passar pela promotoria. Pelo advogado do sindicato também. Não houve imperícia do rapaz, porque imperícia supõe a intenção capacitada, ou a possibilidade de capacitação.

E você, quem é?

O rapaz não foi preparado para aquela função. Os laudos estão aqui, eu disse, e bati com a mão na bolsa. O senhor pode ver.

Nilo Rangel ficou parado um momento, ainda sustentando no rosto o riso que tinha dado do Ramires. Depois assobiou para o meu amigo, e falou, o seu motorista além de manco tem curso de advocacia?

Não esperei pela resposta do enfermeiro. Ele não teria resposta para aquilo.

Deve ser uma vida horrível essa que o senhor vive, eu disse.

Eu conheço você, não conheço? Hem, o advogado quis saber.

Agora ninguém ali precisava esconder mais nada. Tínhamos passado a outra etapa. Não imaginei que as coisas fossem correr desse modo.

Você não é da promotoria porra nenhuma, ele continuou. E eu não quero gente do sindicato por aqui, já falei. Passem fora. Vão, e ele apontou a porta.

O Ramires continuou parado.

Dei um passo à frente e me encostei na ponta do birô. Pus na cadeira a minha mochila e tirei de dentro dela a pasta com o laudo pericial do compressor.

Olhe aqui, eu disse, o processo foi encaminhado sem meu parecer, nem o laudo.

Nilo Rangel riu.

O senhor vai obstruir a justiça.

A justiça?

É, a justiça, repeti.

Ele tomou uma expressão mais séria. E como vai o rapaz?

Isso depende do senhor.

Sente, por favor.

Não, eu disse. Muito obrigado.

Ele está vivo?

Está, o Ramires disse.

Por favor, sentem. Eu insisto, ele falou, e fez um gesto para o Ramires, apontando a cadeira com o charuto.

Pus um braço no ombro do enfermeiro, fique aí mesmo, Ramires.

Querem um café?

Já tomamos café, eu disse.

Então vocês vieram aqui só para me contar a história de um crime.

Não teve crime. O rapaz se acidentou. Agora precisa ser amparado.

Quanto tempo de prisão, hem, ele disse, olhando para o teto.

Não houve prisão nenhuma, falei.

Não estou perguntando, manco. Estou lhe dizendo. Você fez das suas. Você é o tal que vivia ligando para cá e gosta de escrever bonito, embelezando a vida das costureiras e dos peões que catam algodão. Não é?

O senhor não sabe nada a meu respeito.

Sei que você foi preso por ter estourado o carro da empresa. Estou certo? Não foi você que jogou um carro novo no barranco?

O senhor faça o favor de ler o que eu lhe trouxe.

Ler?

É, basta o senhor ler.

Eu posso ler, ele disse.

Depois encaminhe tudo, por favor.

Você pensa que pode salvar seu colega? Pensa que sou burro?

Veja os documentos, doutor Nilo, o Ramires falou.

Cala a boca, o advogado disse, e se encostou na cadeira com todo seu peso. Querem fumar um?

Ninguém quer nada daqui.

Ah, mas você veio me dar uma aula. Pode pelo menos fumar um comigo.

Não houve crime, doutor Nilo. Nem foi negligência do rapaz, eu disse.

Estou mais interessado é no seu crime, manco, ele disse, então notei, por trás dos novelos de fumaça, sua mão rolando a cinza do charuto na borda da cerâmica.

É verdade, falei.

Ele parou e abriu os olhos, é verdade o quê?

O que o senhor quiser que seja, é verdade. Não tenho medo de que vejam as minhas faltas.

Agora você está me gozando, manco?

Não respondi e pus a pasta de volta na mochila.

Alguém tem que dar as cartas, velhinho. Você passou da hora. Ouviu? Isso mesmo, ele disse, tragando o charuto, e do nada bateu com a outra mão no tampo da mesa. O menino queimado morreu, Nilo Rangel gritou, então deu de novo com a mão no mesmo lugar, e levantou da cadeira. Quanto tempo você ficou escondido, um ano? Ele morreu, está me ouvindo? Vocês perderam a viagem. Agora, por favor, passar bem. E vão se foder.

O Ramires não saía do lugar. Coloquei a bolsa dele nas costas e fui apanhar a minha, em cima da cadeira.

Espere, Nilo Rangel falou. Pode deixar isso aí. Aliás, vou chamar um táxi para vocês. Então trocou o charuto de mão, apanhou o telefone em cima da mesa e bateu uma vez com o dedo no gancho. Rosinha, ele disse, olhando para mim e depois para o Ramires. Mande chamar uma viatura, minha filha.

Coloquei de volta a mão dentro da bolsa. Nilo Rangel já tinha baixado o aparelho e foi sentar novamente. Continuava no mesmo assunto, dizendo que agora íamos nos foder. Puxei para fora da bolsa o revólver, que me pareceu menor, apertado em minha mão, e apontei para o advogado. Você agora vai parar de falar essa besteira, eu disse.

Nilo Rangel levantou os olhos e me viu com o braço esticado na sua direção. O que é isso?

Isso é para você, eu disse, e puxei o gatilho.

O estampido assustou o Ramires, que deu um pulo no mesmo lugar.

A cabeça de Nilo Rangel deu um sopapo para trás e bateu na parede. O tiro entrou na maçã esquerda de seu rosto. Um fio de sangue escorreu dali e começou a se espalhar pela camisa de gola branca. Ele agora olhava com os olhos vidrados e a boca aberta. Puxei o gatilho novamente e o tiro furou a parede por cima de seu ombro direito.

Deus, o Ramires disse, com a voz presa.

Dei um passo à frente e puxei o gatilho de novo. Desta vez a bala pegou no queixo do advogado e lhe partiu a mandíbula. A cabeça dele pendeu de lado e ele escorreu na cadeira, com metade do rosto barbado agora no colo.

Um homem sem rosto é uma cena das piores, e talvez seja mesmo a pior de todas.

O Ramires recuou na ponta dos pés, apertando os dentes. Vamos embora, ele disse.

Vá, pode ir.

Vamos embora, Jurandir. Vamos embora agora.

Vá tomar no cu, eu disse.

Então o Ramires esticou um braço devagar e me tirou o revólver da mão. Depois apanhou minha mochila, abriu a boca dela e jogou a arma dentro. Colocou a bolsa nas costas e fomos os dois olhar pela janela. Não havia movimento estranho. Puxamos as cortinas e ele deslizou a banda corrediça. Uma lufada de ar quente invadiu o escritório do advogado. A luz e o ruído lá fora eram enormes, de dentro não se notava isso.

Bateram à porta e o Ramires abriu os olhos para mim. Era a secretária de doutor Nilo, que agora ia dobrado na sua cadeira, sem o queixo, como um saco de arroz.

Meu amigo olhou para baixo, lá fora, apontou na direção da marquise que calçava a janela, e disse, Jurandir, é só um piso. A gente vai ter que pular.

As frases de madame Góes, destinadas que fossem a embelezar para-choques de caminhão, me trazem um quê de bálsamo. São um modo de evitar a perda do fôlego. Que o Ramires não me ouça agora, mas ambos, aquela senhora severa e o meu enfermeiro bonachão, hoje me fazem a mesma falta.

    Claro que quis estourar a cabeça de Nilo Rangel e colocar ali em cima um lencinho, para o caso de alguma moça passar perto e não se espantar com aquilo. Mas vocês sabem que não foi isso que aconteceu. Ninguém precisou pular de canto nenhum.

Agora, por favor, passar bem. E vão se foder, doutor Nilo tinha dito naquela tarde, no seu escritório.

    O Ramires não saía do lugar. Então coloquei a bolsa dele nas costas e fui apanhar a minha em cima da cadeira encostada ao birô.

    Espere aí, o advogado disse. Vão, e não me voltem mais. Vou até chamar um táxi para vocês. E logo depois ele disse ao telefone, dona Rosinha, mande chamar um táxi, por favor.

    Foi só neste instante que o Ramires saiu de seu transe, apanhou minha bolsa e passou as alças dela pelos braços, por cima do paletó do Ilhas. O enfermeiro se virou para mim e disse, vamos lá que o carro da promotoria não pode ficar esperando o dia inteiro. E para o advogado ele continuou repetindo aquilo que tinha ouvido há pouco. Passar bem, doutor. Passar bem.

Nilo Rangel ficou em silêncio, nos vendo caminhar dali com a calma que só convinha a dois padres. Saímos para o hall do escritório e demos com a tal Rosinha. Mas ela, detrás de seus óculos de aros vermelhos, não disse nem uma palavra.

Passar bem, o Ramires também falou para ela.

Descemos pelas escadas quase pulando os degraus, de dois em dois, até o lobby do edifício. Lá embaixo ele acenou para o recepcionista e recebeu outro aceno de volta. Então atravessamos a rua e começamos a andar para longe do Cais do Apolo.

Doutor Ênio tinha me mandado comprar um casaco. Fui comprar o casaco e estava com o mesmo numa sorveteria quando, de repente, ele próprio chega. Prontamente me ofereci para lhe pagar um sorvete, o que ele aceitou. Após isto fui para a casa de campo de um conhecido, porque lá tinha um lago e uma campina boa para se caçar coelhos. Chegando ao lago, vi o rapaz que ia me hospedar atirando com uma espingarda num pequeno avião. Ele estava dentro d'água e atirava dali mesmo, do lago. Eu vinha armado com um revólver e tive vontade de fazer o mesmo, apontando para o avião que passava no céu. Tive vontade, mas não fiz, porque Heloísa, que estava comigo, falou uma coisa no meu ouvido. Guardei a arma e comecei a gritar. Fulano, eu disse, não atire nesse aviãozinho porque a mãe de doutor Ênio vem nele. Mas aquela alma desconsolada não me ouviu e o pior aconteceu, o avião com a mãe de doutor Ênio foi baleado e mergulhou com tudo dentro d'água. Infelizmente não lembro de mais nada. O que quero dizer é que não sei se houve sobreviventes.

* * *

Entre os últimos sonhos que referi ao Ramires está este que tive com doutor Ênio e do qual não me lembrava mais.

Naqueles nossos instantes finais, no Recife, vimos alguns aviões e helicópteros sobrevoarem a capital rumo ao aeroporto dos Guararapes. Creio que foi isto que me trouxe de volta a imagem do desastre com a mãe de doutor Ênio. Então, conversando sobre como iam as coisas em Belavista, decidi fazer dois últimos pedidos ao enfermeiro. Um era dinheiro e o outro, que ele me levasse a um endereço ali perto.

Já tínhamos deixado o Cais do Apolo para trás. O Ramires estava nervoso, não dizia nada. Sentamos numa parada de ônibus para que eu pudesse abrir a bolsa que ia pendurada nas costas dele. Tirei o cartão de Marco Moreno do grampo na pasta dos anexos e mostrei ao meu amigo, dizendo, é aí, você sabe onde fica?

Sei, o Ramires falou, depois de olhar um tempo. Então me devolveu o cartão ainda sem perguntar nada.

Caminhões transportavam soldados pelas ruas mais largas. Um jipe com uma antena longa passou rápido pela esquina onde eu e o Ramires tentávamos atravessar. Ele me olhou mais sério e sacudiu a cabeça.

Quando finalmente chegamos à rua do Giriquiti, uma meia hora depois, meu amigo apontou para o nome chumbado em metal no pilotis de um prédio alto, com mais de quinze andares, e leu, edifício Barão do Rio Branco. O prédio era novo e brilhava com volumes salientes de concreto e azulejos de desenho abstrato, avançando para fora do vão dos pavimentos uma longa pilha de blocos de cor clara.

Fiquei olhando aquela construção. O nome Barão do Rio Branco não me trazia à cabeça uma imagem tão nova. Por tanto tempo olhei o cartão de Marco, com seu endereço recente, que não cabia em mim aquela cena de uma morada distante do que foram suas outras casas que conheci próximo à tecelagem e também ali na capital, onde estivemos juntos, no palacete dos seus pais, anos e anos antes. Aos poucos me vieram suas críticas ao verdão, o prédio mandado levantar pelo seu avô, no começo do cotonifício, quando este e a tecelagem ainda pertenciam à família.

O Ramires já tinha saído na frente e, mostrando o cartão de Marco Moreno ao porteiro, começou a puxar conversa com ele. Meu amigo então lhe passou a sacola com as pastas do caso do rapaz queimado. Quando Marco pusesse os olhos no timbre da tecelagem, ia prestar atenção àquilo, tenho certeza. O porteiro disse que avisaria da encomenda naquele momento, e o Ramires fez que sim, que era urgente.

Saímos do prédio com meu amigo agradecendo àquele homem e, quando atravessamos a rua, pedi que sentássemos um pouco do outro lado, junto ao carro parado ali em frente.

Vamos voltar logo, Jurandir. Daqui a pouco escurece, o Ramires disse.

É um minuto, meu querido, e comecei a massagear a perna. Também senti vontade de fumar, mas ali nem eu nem o Ramires tínhamos mais nada. Então o enfermeiro fez uma cara feia e nos escoramos no carro, aproveitando a sombra daquele prédio imenso.

Marco Moreno apareceu em seguida. Saiu do elevador e atravessou o lobby a caminho da mesinha do porteiro. Foi ali que recebeu o pacote das mãos daquele homem tão simpático.

O Barão do Rio Branco é um prédio aberto, é prédio de arquiteto, da rua se vê tudo no piso térreo, de onde sobem as colunas por entre a garagem. Marco permaneceu no pilotis um tempo. Abriu a sacola e tirou uma das pastas, querendo ver o que era aquilo.

Eu e o Ramires continuávamos do lado de fora, encostados ao carro, que agora o enfermeiro elogiava dizendo que era transporte de barão.

Deixei para Marco o que pude deixar. Os laudos e os pareceres que doutor Nilo tinha esnobado, as fotos do rapaz sem o rosto, o cartão de Minie com a mensagem das moças do quarto andar e, também, o meu retrato colado ali ao lado do menino. Ele ia saber quem era? Além disso, no fundo da sacola ia o trinta e dois do velho. Lembro do velho com o paletó areia e o chapéu à mão, abanando os braços, dizendo poemas no meio das refeições. Marco também iria se lembrar disso? Se para mim Averrós e Fátima às vezes me voltam numa onda de impressões tão vivas, imagino que para ele uma gota desse mundo seja um mar a ser atravessado. Fiquei olhando.

Marco folheava uma das pastas, de pé, à luz do sol já baixo. Não tinha engordado nada. Ali ao lado do porteiro ele parecia mais alto. Tinha o cabelo curto e já grisalho, mas cheio, penteado para trás, o que lhe dava um aspecto moço. Na verdade ele é mais jovem do que eu alguns poucos anos. Ainda mostrava aquela expressão de rapaz sonhador, de encanto de família e perdição das moças. Ele deu esse tipo de trabalho. Viajava com elas mesmo durante seu tempo de faculdade. E agora estava ali adiante, quantos metros? Trinta, quarenta. Talvez nem isto, era pouco mais que a distância entre uma margem e outra do rio da nossa infância, aquele que queríamos saltar com o carrinho de rolimãs desmontadas de um eixo de trator. Marco trajava uma calça cinza e a camisa mais clara, de mangas compridas. Seus braços são longos, e as mãos, manuseando as pastas, mesmo de longe me pareceram maiores e mais alvas do que antes.

    Ele olhou em volta e não me viu, ou acho que não viu. Fiz um aceno, mas ele não notou. Eu e o Ramires já tínhamos deixado aquele carro na sombra e seguíamos pela calçada do outro lado da rua, na frente do prédio. Meu amigo enfermeiro continuou sem dizer nada. A grandeza do homem às vezes está no silêncio. Atravessei de volta para mais perto do Barão do Rio Branco e tornei a virar a cabeça para o pilotis do prédio. Não estávamos tão longe. O térreo era aberto e sem muro, até nisto era diferente. Se Marco prestou atenção àqueles homens passando na calçada, é provável que não tenha se dado conta de quem éramos, de que eu estava ali. Apenas colocou a pasta de volta na sacola, enrolou tudo num pacote debaixo do braço e chamou pelo porteiro, a quem fez uma pergunta. Mas o simpático respondeu qualquer coisa que não. Daí, Marco Moreno se virou e foi em direção ao lobby apanhar o elevador de volta para casa.

Soprava agora uma brisa de fim de tarde. O Ramires me viu naquele silêncio por tanto tempo que foi se impacientando. Vamos embora, madame Góes vai ficar uma fera, ele disse. Além do mais, tem isto aqui para devolver, e então bateu com uma palma na roupa do Ilhas.

    Um homem não deve colocar diante de si um sonho sem chance de ser alcançado, ou então ele próprio estaria se condenando. Este juízo não é de madame Góes, mas era o que tinha na cabeça quando disse ao meu amigo, Ramires, não volto mais para Belavista. Você sabe.

    O enfermeiro não fez nenhum comentário.

    Caminhamos desse jeito mais um tempo, depois encostamos num muro para destrocar as bolsas. Pus a minha pendurada pela frente, atravessada contra o peito.

Não ia querer que o Ramires tentasse ali, no meio da rua, outro abraço daqueles que ele gosta de dar. Não havia necessidade disso. Foi então que demos um aperto de mãos e, afinal, precisei lhe pedir ajuda com o dinheiro de uma passagem para o interior.

# Dois anos depois

*Bebemos sempre dos mesmos copos.*
UMA GARÇONETE

Amanhã cedo finalmente vão começar a pintar nossa casa toda de branco. Os muros e a fachada ainda são do azul original e com o tempo descascaram muito.

Fui do quintal ao portão da frente tentar ver quanto tempo o serviço ia durar. Depois entrei para cobrir a mobília e o parapeito das janelas com pano de estopa e lençóis velhos. Aqui dentro, com as paredes sem as imagens nem os penduricalhos de Heloísa, de tão alva e desolada a sala agora me lembra um quarto de hospital. Vendo isso, de repente me senti um pouco incomodado.

Quando a impressão diminuiu, pedi ajuda à minha esposa e fomos embrulhar em jornal os livros e as gavetas de minha cômoda, que também ia mudar de cor. Heloísa quer tudo novo.

Primeiro sugeri que trouxéssemos as cobertas de lona da churrasqueira de fora, porque já não serviam para mais nada. Ela falou que era difícil, que não se podia buscar o que eu próprio já tinha mandado jogar no lixo. Achei a resposta exagerada, mas fiquei calado.

Esses pintores nos fazem é um grande favor, Heloísa disse. Porque ninguém quer trabalhar na época dessa festa do verde e do vermelho.

Falei para minha esposa que, quanto a isso, ela tinha toda razão.

* * *

Estava zangado com Marco porque ele me chamava de afrescalhado. Disse que se ele continuasse a dizer aquilo eu lhe daria uma surra. Como ele continuou, eu lhe dei a surra prometida e só então ele parou com a graça. Após isto fomos urinar. Estávamos no banheiro eu, ele e o Pulga, meu amigo aporrinhador. Nós três fazíamos nossas necessidades no mesmo aparelho, porém não sentíamos vergonha nenhuma. De repente a cena muda, estava na tecelagem e encontrava um malfeitor dentro de um dos quartos dos funcionários residentes, os do turno da noite. Puxei o revólver e disse a ele que saísse do esconderijo. Ele prontamente saiu com uma faca na mão e mandou que eu jogasse o revólver fora, ou então ele atiraria a faca em mim. Não dei confiança ao que ele falou e disparei a arma. Por azar, errei o alvo e o bandido veio para cima de mim com a faca em punho. Creio que me furou na barriga. Devo ter desmaiado, pois logo em seguida despertei.

Na manhã de ontem eu e Heloísa nos levantamos já prontos para a festa do triunfo, que ia durar até tarde. Fomos à praça assistir ao batismo do capitão dos vermelhos. Nesse dia todas as paróquias e os sítios são requisitados, e seus proprietários, assim como os moradores das redondezas, se dividem em dois grupos, um verde e outro vermelho. Um tablado tinha sido construído sobre estacas altas, na linha da água baixa, representando um quartel, e o dia da festa ficava para quando a falta de chuva deixasse o palco no raso da água. Na prainha do lago colocaram dois tronos numa distância de mais ou menos vinte metros um do outro, logo acima do nível. Ali o açude esverdeado era para ser o mar. O capitão dos verdes ocupou um trono e o capitão dos vermelhos o outro, ambos com seus uniformes e capas.

O ato começou com o primeiro enviando ao último um dos seus oficiais, exigindo que sem demora o vermelho recebesse o batismo, o que foi prontamente recusado. Esse batismo consistia em um gole de aguardente numa pequena garrafa reservada para aquilo. Vários outros foliões passaram, para lá e para cá, vestidos com fantasias. A guerra estava declarada. Cavalos de pau e pequenas canoas de rio, de cada facção, se movimentavam rumo ao quartel no meio d'água, uns para atacar e outros para defender. Houve muita descarga de espingardas pica-pau e, por fim, com grande luta entre as partes, a casinha do palanque foi tomada pelos verdes. As canoas vermelhas que escaparam fizeram o desembarque da sua tripulação enquanto os adversários faziam o mesmo. Os dois exércitos então se encontraram na prainha do açude e se bateram corpo a corpo, longamente, e para o final o capitão dos vermelhos foi preso e batizado à força, com a aguardente. Nesta ocasião às vezes ele cospe e as pessoas aplaudem.

Esta é a principal festa da minha cidade. O lago fica rodeado de carros, motocicletas e cavalos. A pequena barra de areia estava repleta de povo, com as melhores roupas, os panos mais finos e caros, sedas, cetins, musselinas, algodões estampados, enfeites de dourado e pedras, chapéus de seda e de tafetá, fitas de todas as cores, em quantidade, sapatos brancos, pretos e de vários tons, além de vestidos que nem sempre vêm à luz do dia, como jalecos de algodão feitos para a data, com coletes bordados e outros menos comuns e de material rico, e calças de nanquim e outras fazendas ligeiras, chapéus altos, uns de castor, outros de palha, uns redondos, outros menores, com botas altas, sapatos e também chinelos pintados à mão.

A festa é tão famosa que foi notada por um estrangeiro, de quem tirei essa descrição. Ela em nada me lembra o carnaval passado em Belavista. Tempos atrás o capitão dos vermelhos, que é batizado a contragosto, muitas vezes era chamado pelos seus correligionários de Lantânio. Na ocasião de um grito com este nome, algumas pessoas apontavam para cima e descarregavam as armas. Hoje em dia ninguém mais pode ter arma, e assim é até melhor.

Marco me disse uma vez que a festa datava do tempo do rei.

Perguntei a ele, que rei?

Ele me disse, ora, Jurandir, o único rei, pois fora o do Congo só tivemos mesmo o de Portugal. Meu amigo falou isso e depois riu fechando os olhos, deliciado.

Repeti essa história a Minie um ano em que passamos juntos pela estrada da barra onde as facções coloridas já estavam agremiadas. Mas ela não achou nada interessante.

Da última vez que nos vimos, ela voltou a me dar os parabéns pela aposentadoria. Você agora tem todo o tempo do mundo, Minie disse, obviamente exagerando naquilo.

O fato é que agora faz muito que não falo com ela.

E ontem parece que ela nem foi à festa.


Há pouco, no furor da preparação para a pintura de casa, entre os papéis que Heloísa esconde no cesto do guarda-roupa encontrei uma lista de compras. Na realidade pensei que se tratasse de um velho rol de mercadinho, porque o papel era aquele que ela tinha com flores coloridas por cabeçalho, de tamanho comprido, tirado de um talão. Mas o que estava ali era outra coisa, era uma lista com nomes de pessoas.

Demorei a lembrar exatamente de que se tratava. Era uma brincadeira que fazíamos em casa, eu, ela e Andrezinho. Chamávamos essa lista de os nossos nomes.

André, Andrezinho, Dezinho, Dedé, Dudé, Dé, Capote, Siri, Carapinha, Piolhim, Zezezinho e Zinho.

Heloísa, Helô, Lila, Lalica, Cumbuca, Coração, Garota Tutti Frutti, Senhora Tutti Frutti, Helopira e Demônia.

Jurandir, Jura, Jurubeba, Juí, Dico, Macaco, Canalha, Peste, Tetéu e Tratante.

Havia outros. Para mim, sempre menos. Nunca fui de copiar isso. Mas Heloísa e André se divertiam muito na tarefa. Mesmo que hoje seja difícil de crer, a verdade é que todos esses são termos de afeição, inclusive os mais complicados, de aparência ofensiva. Tudo está no tom.

Agora, enquanto passo essa lista de nomes para meus papéis, ouço Heloísa batendo pratos e panelas na cozinha, preparando o jantar, e sei que ela vai me chamar por um desses que vão registrados aqui.

Em casa, à noite, às vezes fico nesta atividade horas a fio tomando a sala ou o quarto de André, ao passo que ela cozinha qualquer coisa, costura ou fica no telefone. De vez em quando saio para fumar e escuto a noite, e tiro dos ruídos daqui e dos caminhões vibrando na rodovia murmúrios de longe, ou gritos mais graves, soados entre a sala e a cozinha, em outros tempos, quando esta casa ainda era de um azul mais vibrante e eu ainda não tinha passado aqueles meses em Belavista.

Acordei misturado às noções que a noite fabrica. Estava em casa, cedo ainda, na casinha onde morei quando não tinha deixado a família de minha tia. Era no meu tempo de adolescente.

De repente meu filho chega. Fiquei surpreso com a visita. Fazia tempo que não nos víamos e ele dizia que estava no hotel do alemão, uma pousada que fica no bairro onde eu morava.

Pedi que entrasse e fui ao banheiro me olhar no espelho. Estava de pijamas, com uma camiseta branca e calças azuis. Meu rosto parecia o de alguém que acabava de ter acordado. Na verdade já me preparava para ir dormir, era uma fase em que dormia cedo. Meus cabelos estavam cheios, mas não chegavam a ser compridos. Por algum motivo não conseguia trocar de roupa, então fui para a sala conversar.

Lembro que era uma conversa sem objetivo. Não havia razões nem queixas, apenas a vontade de falar. Aquela era a primeira vez após o período de calmaria que vem em seguida a qualquer ruptura, quando a ligação some e já não passamos mais pelos altos e baixos que abalam nossos costumes.

André estava tranquilo, com o olhar fixo nas coisas. Não conseguíamos conversar, logo chegavam outras pessoas. Minha tia também estava ali, e outros vinham passando para dentro. A casa parecia cheia, alegre. Tinha ficado tarde e nossa conversa precisava esperar. Então fomos dormir. Creio que André voltou para o hotel ou ficou na sala, não lembro. Fui para o meu quarto, deitei na cama e fiquei ouvindo rádio até pegar no sono.

No outro dia saímos para ir ao verdão ou ao colégio. Tomamos uma condução que virou um trem. Durante a viagem ficamos em silêncio, um ao lado do outro. As pessoas ao nosso redor conversavam muito. A paisagem lá fora era estranha, não tinha bem certeza onde era. Saltamos na estação à beira de um rio. Começamos a andar entre uma multidão de pessoas apressadas. Seguíamos devagar, cruzando por cima desse rio, que era caudaloso e de um azul profundo. Logo que saímos da estação, à boca da ponte, notei o clima mais quente e o dia claro, com o sol forte. Ventava muito. A ponte era alta e longa e levava os passantes até uma cidade ao pé de várias colinas. No meio da travessia paramos para apreciar a vista.

Olhando a paisagem, percebemos onde tínhamos ido parar. Era o Rio de Janeiro, mas parecia uma cidade diferente, menor, de bonecas, com pequenos prédios compridos e torres que formavam blocos geométricos. Muita gente seguia para lá. Olhei em redor e vi que as pessoas passando eram mais velhas. Chegamos a um prédio em construção e eu reclamava um pouco da perna dolorida, então nos sentamos num banco de concreto próximo à entrada da cidade. Olhei para o meu filho e ele continuava calado. O vento tinha assanhado seus cabelos.

Fiquei de pé e estendi uma mão. Tinha medo de que ele se virasse e me desse as costas, ou se levantasse para ir embora. Queria afastar os cabelos que o vento espalhou e estavam lhe cobrindo o rosto. Pensava que sua memória daquela minha fase mais bruta, quando precisei alcançar, por conta própria, o entendimento dos meus motivos, faria com que ele tivesse desconfiança de mim.

Cheguei com a ponta dos dedos até o seu rosto e lhe afastei os cabelos. Na ocasião eles me pareceram grossos, cheios daquela trama que os cabelos realmente têm. Mas André continuava quieto, com um sorriso leve, sem convite nem repulsa. Fiquei contente. Deixei de notar o calor, o vento, as pessoas. Tive a impressão de que finalmente tínhamos voltado à naturalidade no trato. Olhei em volta e decidi lhe contar uma coisa nova, diferente, sobre mim, e que não tinha mencionado antes.

Achava que esse gesto seria uma surpresa. Mas meu filho me disse que já sabia o que era, que ele me conhecia bem. E só então começamos a nossa longa conversa.

No dia em que comecei a me preparar para voltar para casa, vi partirem da clínica, de acordo com o estranho costume, um grupo de almas-grátis que estava entre os primeiros a completar o tratamento. Tinham reunido vários utensílios de metal e, enquanto eles saíam, os que ficavam nas portas batiam um objeto contra o outro, num barulho infernal. A brincadeira é praticada nessas ocasiões e causa grande alegria.

    Era preciso muita resolução para deixar o povo, a cidade e tudo quanto agora me interessava, meus novos amigos e os tais kardecistas, meus relatórios, os gatos de Belavista e também os bichos dos outros, os curiosos zanzando por perto, querendo saber quem éramos nós, além do jardim que eu, madame Góes e o Ramires já tínhamos improvisado e íamos cultivando. Tudo isso, confesso, me custava sofrimento deixar. Não tenho dúvida de que me tornaria bem depressa um bom cuidador em Belavista. Mas a posição que se encontra um homem que governa entre os seus iguais, gente sem condições, não é feita para formar criatura melhor do que ela seria noutras circunstâncias. Possivelmente eu, logo, logo, não poderia ser membro de nenhum outro grupo, senão daquele em que só convinha falar de delírios e associação de ideias, de entrevistas sobre isso tudo e de pedaços do passado. Já me sentia inclinado para a vida que levava, me sentia livre e mais perto da capital. Embora estivesse convicto dos males de uma agremiação reclusa, adorava ter sempre companhia a me ouvir contar o que quisesse contar. Poderia nisto me tornar tão arbitrário quanto qualquer apaixonado por essa existência sonâmbula. Poderia ficar ali sentindo, para sempre, o grato sabor da ociosidade, não tendo regras que não as ditadas pela minha mazela e pela dos outros, desgostando tudo que fosse racional e lógico no mundo afora. Até recentemente acariciei a esperança de voltar a Belavista. Deus sabe se não seja meu destino retomar tal sonho. Mas inclinações ou acidentes sobre os quais não tenho poder me prendem a outro lugar. Heloísa, por exemplo. E, também, minha cidade natal. Pertenço aos dois e na companhia deles me sinto mais constante. Apesar disso, torço pela prosperidade de vocês. Ninguém deve jamais se julgar superior aos outros.

Pois também sinto falta dos meus amigos. Não os de infância, mas os de juventude e de profissão. Willy dos Santos com sua coleção de cachaças, Henrique Meira dominando o violão no clássico e no popular, o cáustico João Luís desfazendo a vida em sociedade e, é claro, aquele engenheiro de planejamento, Jaime, a postos com seu suco de goiaba. Mas também Tonico Braga ao pé de um forno à lenha, orgulhoso da sua equipagem de cozinha. Zildo Codeceira, mineiro de Ouro Fino, que tem na ponta da língua um catálogo de anedotas de português. Joaquim Serra, o grande e alegre compilador de contos de fadas. Monteiro, com as ideias mais justas de todas e seu jeito bonito, de padre. Além de Gastão José Chaves, dizendo com olhos de um irmão poemas seus e dos outros, e, mais recentemente, aquele moço Marconi que conheci operando sua gráfica, onde roda talões de rifa.

Às vezes penso em procurar por eles, porém não sei bem como, e me bate uma falta de coragem. O muro do tempo já removeu tanta coisa entre nós todos. Não sei o que teríamos para dizer um ao outro. Ocorre que, sozinho, sim, posso pensar neles, no detalhe das suas manias, e me concentrar no papel a ver aqui os jeitos de cada qual, continuando assuntos que deixamos partidos pelo meio, meses e meses atrás. Há que se resgatar daí qualquer coisa de bom, de uma atividade que acaba sendo, por incrível que pareça, a confirmação do que eles significam para mim e daquilo que nos liga a despeito das barreiras de ano e distância.

O Ramires é um desses. Verdade que não gosta de escrever. Mesmo assim mandou duas cartas, uma por ano. É a média que lhe cabe. O enfermeiro disse que as coisas ainda iam piorar muito, ele continua querendo adivinhar a rota dos militares. Contou que madame Góes se recuperou de um problema nos olhos e logo vai mandar outro cartão. Segundo ele, a boa velha me quer um bem enorme, e que eu não perdesse a fé nos sonhos enquanto ela tentava me perdoar a defecção de Belavista. Soube também que, com a renda das almas-grátis, doutor Ênio comprou um automóvel seminovo. Achei a notícia ótima.

Mas permanece o fato de que acabei não me despedindo de nenhum deles. Nunca fui bom para despedidas. Se ficasse ali, na frente do Ramires, à sombra do prédio de Marco Moreno, ou de volta à porta da clínica, com madame Góes chovendo no lenço, logo seria eu a copiar todo mundo, escondendo as lágrimas com a expressão apertada, prometendo fazer o que no fundo sei que nunca poderia fazer. Então, acho que não. Despedidas nunca foram o meu forte. É sempre melhor evitar isso.

Prefiro dizer aqui o que já disse a vocês. Desejo a todos, do fundo de quem agora sou, tudo do bom e do melhor, e mais, e principalmente, uma boa entrada nesta nossa longa e maravilhosa noite.

Este livro foi impresso
pela Geográfica para a
Editora Objetiva em
janeiro de 2014.